CW00411597

La venganza de don Mendo

Letras Hispánicas

Pedro Muñoz Seca

La venganza
de don Mendo

Edición de Salvador García Castañeda

DUODÉCIMA EDICIÓN

CATEDRA

LETRAS HISPANICAS

Cubierta: Manuel Luca de Tena

Ilustraciones de las págs. 8, 10, 12, 15, 19, 23, 29, 35, 43 y 52
de la Edición de Pueyo
Ilustraciones de las págs. 48, 50, 51, 54, 61, 101, 136, 183,
221 y 225 de Enrique Herreros

© Herederos de Pedro Muñoz Seca
© Ediciones Cátedra, S. A., 1997
Juan Ignacio Luca de Tena, 15. 28027 Madrid
Depósito legal: M. 13.067-1997
ISBN: 84-376-0483-4
Printed in Spain
Impreso y encuadernado en Huertas, S. A.
Fuenlabrada (Madrid)

Índice

Dn Nuño

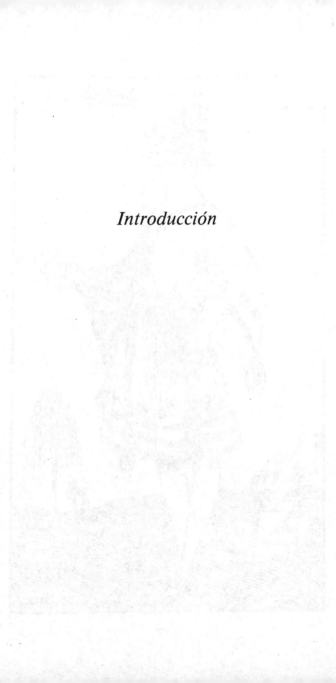

Introducción

Bertoldino

A Ramón Calderón Vázquez

Muñoz Seca

Pedro Muñoz Seca nació en el Puerto de Santa María, en la provincia de Cádiz, el 20 de febrero de 1881 y desde muy joven se mostró muy aficionado a la poesía, al teatro y a las corridas de toros. Después de acabar sus estudios de Derecho y de Filosofía y Letras en Sevilla, marchó a Madrid a probar fortuna, como lo hacían tantos jóvenes provincianos. Tras tiempos de penuria entró en el bufete de Antonio Maura y después, en 1908, el influyente político José Sánchez Guerra, a quien luego dedicó *La venganza de don Mendo,* le facilitó la entrada en el Ministerio de Fomento como jefe de negociado en la Comisaría General de Seguros.

Muñoz Seca se da a conocer pronto como autor cómico y llega en momentos de gran actividad para la escena española. La ocupan comediógrafos, dramaturgos y saineteros que tendrán en común, la mayoría, el gozar del favor del público durante largos años. A la cabeza de los primeros figura Benavente, tenido por maestro de la comedia en el primer tercio del siglo (*La Malquerida,* 1913, *Campo de armiño* y *La ciudad alegre y confiada,* ambas de 1916) y, dentro de la corriente benaventina están Linares Rivas (*La garra,* 1914) y Gregorio Martínez Sierra. Carlos Arniches, que comenzó en 1888 como uno de tantos saineteros del «género chico», se convertiría luego en el autor cómico más importante de su tiempo con «tragicomedias grotescas» como *La señorita de Trevélez* (1916) y *¡Que viene mi marido!* (1918). Recordemos finalmente a Joaquín y a Serafín Álvarez Quintero quienes durante más de medio siglo dieron a la escena gran cantidad de obras costumbristas y sentimentales en las que pintaban una Andalucía convencional y amable.

El nombre de Muñoz Seca se identificará pronto con el de un género teatral nuevo —el *astracán*— y solo, o con sus colaboradores Pérez Fernández y luego García Álvarez, dio a la escena trescientas obras cómicas entre 1915 y 1936.

El *astracán* es un género cómico menor que sólo pretende hacer reír pero, eso sí, a toda costa. Los críticos señalan que proviene directamente del juguete cómico, cuyos recursos ridiculiza, y González Ruiz observa que en el juguete cómico, el equívoco planteado acaba por deshacerse mientras que «la peculiaridad del astracán consiste en llevar el convencionalismo de frente y dejarlo descarnado ante el público» [1]. En este caso la acción, las situaciones y los personajes dependen del chiste, que suele ser de retruécano, y de las deformaciones cómicas del lenguaje. Para García Pavón,

> Muñoz Seca a ciegas, mezclándolo todo, sin finura, a pesar de su carácter, temperamento y cultura nada revolucionarios, pega el primer puntapié a los viejos esquemas del teatro cómico español y comienza, sin más ni menos, el teatro del absurdo. El teatro del disparate. El astracán [2].

González Ruiz, Torrente Ballester y Ruiz Ramón, entre otros, han estudiado por qué razones Muñoz Seca interesaba y divertía al público de su tiempo; las explicaciones parecen apuntar, por un lado, a que su teatro, a pesar de la superficialidad y la falta de calidad artística, era en cambio, «habilísimo, a veces graciosísimo, enormemente

---

[1] Nicolás González Ruiz, *La literatura española,* Madrid, Ediciones Pegaso, 1943, pág. 196.

[2] Francisco García Pavón, «Inventiva en el teatro de Jardiel Poncela, *Cuatro corazones con freno y marcha atrás*», en *El teatro de humor en España,* J. Rof Carballo *et al.* Madrid, Editora Nacional, 1966, página 89.

On Pero

teatral»[3]. No olvidemos que Muñoz Seca fue «el autor teatral más aplaudido y respetado en España entera durante diez años seguidos»[4]. Por otro, estos críticos coinciden en señalar, como escribe Ruiz Ramón,

> la decadencia del gusto y la crisis de la sensibilidad de un público, signo, a su vez, de una formidable atonía mental y de una actitud ante la realidad histórica definida por un «esconder la cabeza debajo del ala» y un «sacar punta» a todo trance a lo substantivamente despuntado[5].

La producción teatral de Muñoz Seca aumentaba año tras año y sólo en 1918 alcanzó la extraordinaria cifra de trece obras. Entre ellas, *La venganza de don Mendo,* «caricatura de tragedia en cuatro jornadas», estrenada en el teatro de la Comedia por Bonafé y por Irene Alba, con éxito extraordinario. No deja de resultar paradójico que Muñoz Seca escribiera obra tan regocijante en medio de una larga enfermedad; según testimonio familiar, éste padeció una úlcera de estómago que le obligó a guardar cama por tres meses y a régimen de leche solamente. Entonces escribió *La venganza de don Mendo* en la que la afición que tuvo su autor por el teatro clásico del Siglo de Oro se muestra emparejada con las técnicas propias del *astracán.* Entre sus papeles se conservan unas páginas manuscritas de «El pendón de don Fruela», también parodia de un drama histórico, y que José Montero Alonso, no sé con qué fundamento, considera escrita con anterioridad al *Don Mendo* y quizá su fuente de inspiración[6].

[3] Gonzalo Torrente Ballester, *Teatro español contemporáneo.* Madrid, Ediciones Guadarrama, 1957, pág. 36.

[4] González Ruiz, pág. 199.

[5] Francisco Ruiz Ramón, *Historia del teatro español. Siglo XX,* Madrid, Ediciones Cátedra, 1975, págs. 57-8.

[6] José Montero Alonso, *Pedro Muñoz Seca; vida, ingenio y asesinato de un comediógrafo español,* Madrid, Ediciones Españolas, 1939, página 93.

La parodia teatral en España

Según el *Diccionario* de la Academia, parodia es una «Imitación burlesca, escrita las mas veces en verso, de una obra seria de literatura. La parodia puede también serlo del estilo de un escritor o de todo un género de poemas literarios». Las parodias, que han existido desde la antigüedad y no han respetado ningún género literario, constituyen una toma de posición irónica ante un movimiento o una obra a los que critican en sus aspectos más vulnerables. Se da así un caso de interdependencia de textos pues el texto parodiado y el paródico tienen en común una serie de elementos homólogos. Esta serie sirve de modelo al texto paródico para llevar a cabo una deformación que tiene fines lúdicos o de censura. Con cualquiera de estos dos fines la parodia expone tópicos, ridiculiza exageraciones y desmitifica el texto parodiado. Para que este propósito tenga éxito será menester que los espectadores o lectores de la parodia estén familiarizados con el texto parodiado y que le reconozcan a través de la degradación experimentada en la versión paródica. Degradación, decimos, porque la parodia pretende dar una visión antidramática de la obra parodiada.

Dentro de nuestro teatro se considera el entremés de *Melisendra* como la primera parodia dramática impresa en España (entre 1600 y 1604) y desde entonces hasta el presente la parodia ha sido constante compañera del teatro escrito en serio [7]. En orden cronológico, recordaremos las comedias «burlescas» o «de disparates», tan frecuentes en el periodo barroco, que estaban basadas en obras muy conocidas, y de las que ha llegado a nosotros medio centenar. Francisco de Montesor parodió *El caballero de Olmedo* de Lope de Vega, Jerónimo de Cáncer en *Los siete infantes de Lara* lo hizo con un tema difundido ya en seis

---

[7] Véase a este respecto, Salvador Crespo Matellán, *La parodia dramática en la literatura española,* Salamanca, Acta Salmanticensia, Filosofía y Letras, 107, 1979.

obras, una de ellas de Juan de la Cueva y otra de Lope, y Calderón de la Barca dejó *Céfalo y Pocris,* versión burlesca de un asunto mitológico llevado antes a la escena por varios autores. También se conservan numerosas loas, entremeses y mojigangas y, además de éstas, trovas y relaciones jocosas que, por lo general, ridiculizan pasajes determinados en comedias conocidas.

El periodo neoclásico es parco en parodias teatrales aun cuando todos tengamos presentes *Manolo,* «tragedia para reír o sainete para llorar», *Inesilla la de Pinto,* «sainete trágico», y trasunto burlesco de la *Inés de Castro, El Muñuelo,* «tragedia por mal nombre», y *Zara,* «tragedia en menos de un acto» que parodia *Zaire* de Voltaire. Todas ellas, y otras más, son obra de don Ramón de la Cruz quien no perdía ocasión de atacar a la tragedia neoclásica con las armas del ridículo. En estos sainetes el decoro, el lenguaje noble y los conflictos de la tragedia resultan cómicamente degradados al manifestarse a través de los personajes plebeyos propios del sainete. Recordemos, sin ir más lejos, el gracioso final de *Manolo,* cuando después de haber muerto violentamente los demás personajes, Sebastián y Mediodiente, los dos que aún están con vida, se preguntan

SEBASTIÁN. ¿Nosotros nos morimos, o qué hacemos?
MEDIODIENTE. Amigo, o es tragedia, o no es tragedia:
es preciso morir, y sólo deben
perdonarle la vida los poetas
al que tenga la cara más adusta
para decir la última sentencia.
SEBASTIÁN. Pues dila tú, y haz cuenta
que yo he muerto de risa.

De índole paródica fueron también los «melólogos», obras cortas y generalmente representadas por un solo actor que recitaba un monólogo, acompañado por música. Estuvieron muy en boga a fines del siglo y entre sus cultivadores destaco a Samaniego quien escribió uno para burlarse del *Guzmán el Bueno* escrito por su enemigo Iriarte.

18

En cambio las parodias florecen en el teatro del XIX y en el de primer tercio del XX. Si damos 1839 y 1850 como límites convencionales del desarrollo del teatro romántico en España, se hallará que, con algunas excepciones como *Todo es farsa en este mundo* (1835) y *Muérete... y veras* (1837), ambas de Bretón de los Herreros, tan sólo a partir de 1846 tiene lugar un verdadero furor parodístico que revela tanto el desprestigio de un romanticismo ya trasnochado como la reacción irónica de un público que hoy ríe de lo que ayer le hizo llorar.

A popularizar la parodia contribuye el desarrollo del «género chico» en la segunda mitad del siglo. A este género pertenecen muchas obras breves que ridiculizan las comedias y los dramas contemporáneos. Salvador María Granés, Federico Soler, Eusebio Blasco, Pablo Parellada y otros muchos hicieron blanco de sus parodias a los géneros, autores y obras más populares más de moda. No extrañará hallarlas en abundancia sobre el teatro romántico: *Los novios de Teruel* y *Los amantes de Chinchón, El tío Zaratán* que remeda el *Guzmán el Bueno* de Gil y Zárate; y muy en especial sobre el *Tenorio* con obras como *Juaneca, Juan el perdío, El novio de doña Inés* o *Las desgracias del Tenorio*[8]. El entusiasmo wagneriano suscita imitaciones burlescas como *Lorencín o el camarero del cine* de Granés, *Il Cavaliere di Narunkestunkesberg,* de Parellada, y *Tanhauser, el estanquero.* En cuanto a la ópera italiana, se representaron *La Fosca,* trasunto de *Tosca, El Cantador* de *Il Trovatore, Carmela* de *Carmen,* y *La Golfemia* de *La Bohème,* en la que los bohemios parisinos están trocados en golfos del Madrid barriobajero. Huelga decir que los dramas neo-románticos de Echegaray tampoco escaparon a los parodistas. Del mismo Gra-

---

[8] Para la parodia en el periodo romántico véase el artículo de Valentina Valverde Rodao, «Lo que son trigedias o la parodia dramática de 1830 a 1850», en *Teatro romántico spagnolo,* Bolonia, Quaderni della Facoltà di Lettere e Filosofia dell'Università di Bologna 4, 1984, páginas 135-161.

nés es *Dos cataclismos,* remedo de *Dos fanatismos* en la que, según Zamora Vicente, «la obra de Echegaray es puesta en el más abrumador ridículo» [9]. Más conocida es hoy la inquina que sintió Valle Inclán por estos dramas y por su autor, tan presente en la obra y en el anecdotario valleinclanesco.

Ahora bien, con el Modernismo triunfó en la escena española un teatro poético en verso que tocaba temas históricos o pseudo-históricos. Vino como una reacción contra el teatro naturalista, se consideró continuador del teatro nacional del Siglo de Oro y, de modo más inmediato, lo fue del drama histórico del Romanticismo, «despojado de su énfasis formal y de su carga poética» [10].

Se tiene a Eduardo Marquina (nacido en 1879) como iniciador y más destacado representante de este tipo de teatro al que dio obras de tanto éxito como *Las hijas del Cid* (1908), *Doña María la Brava* (1909), *En Flandes se ha puesto el sol* (1910) o *El Gran Capitán* (1916). Los críticos coinciden en alabar sus versos por la finura lírica, la robustez épica, la inspiración y la riqueza de imágenes, y señalan a Marquina como un continuador del teatro clásico nacional. Seguidores suyos fueron, entre otros, Francisco Villaespesa (1877), heredero directo del Modernismo, versificador fácil y fecundo y entusiasta del Oriente convencional y fastuoso que pinta en *El Alcázar de las perlas* (1911), a quien se deben también *Doña María de Padilla* (1913) y *La leona de Castilla* (1915); Enrique López Alarcón y Ramón de Godoy que dieron a la escena, en colaboración, *La tizona* (1915), un drama muy aplaudido; y Fernando López Martín, autor de *Blasco Jimeno* (1919).

El teatro poético de asunto histórico tuvo su apogeo entre 1910 y 1930 aproximadamente y después del estreno de *La venganza de don Mendo* en 1918 siguieron repre-

---

[9] *La realidad esperpéntica,* Madrid, 1969, pág. 76, citado por Crespo Matellán, pág. 90.

[10] Ruiz Ramón, pág. 63.

sentándose con éxito dramas como *La dama del armiño* (1921) de Luis Fernández Ardavín, *El monje blanco* (1930) de Marquina, o *Romance caballeresco* (1933) de López Alarcón.

La mayoría de estos títulos evocan gloriosas hazañas del pasado —la Reconquista, las guerras de Italia y de Flandes, la conquista de América— o personajes heroicos de la talla del Cid o de doña María la Brava que encarnan las virtudes raciales de la vieja España imperial. Ruiz Ramón señala el carácter «anticrítico y apologético» de estas obras pues presentan una historia de España convencional y patriotera.

Advierte Torrente Ballester que estos autores escriben al tiempo que los del 98, y que los últimos coincidieron con ellos en creer, «durante bastante tiempo, no en la salvación de España como entidad colectiva, pero sí en la de los españoles como hombres singulares» [11]. Estos dramas, tan aplaudidos, eran obras de evasión y de nostalgia por un pasado «que no fue así». Ruiz Ramón ve en ellos «el resultado de una vocación de salvación o, al menos, de rescate de algunos mitos nacionales», y el deseo de «suministrar a la conciencia nacional en crisis unos arquetipos, aunque con el riesgo anejo de la idealización, del ademán retórico, de la abstracción y de la evasión» [12]. Lo que resulta es un teatro hueco y palabrero que acaba por no significar nada para su público y que «en sus momentos más nobles, no pasa de imagen triste de un imposible» [13].

Cuando apareció *Don Mendo,* el público español tenía el recuerdo difuso de las obras lopescas y calderonianas, muchos de cuyos elementos, aunque no el espíritu, habían recogido los dramas del Romanticismo. Estos dramas sí que eran conocidos, y algunos se recordaban bastante por

---

[11] Torrente Ballester, pág. 240.
[12] Ruiz Ramón, pág. 63.
[13] Torrente Ballester, *Panorama de la literatura española contemporánea,* Madrid, Ediciones Guadarrama, 1961, pág. 223.

haberlos visto o leído, así, *Don Álvaro* y *El trovador,* cuya memoria mantenían viva además las óperas *La forza del destino* e *Il Trovatore,* tan famosas, *Los amantes de Teruel* y varios dramas de Zorrilla. Muy especialmente se conocía el *Tenorio,* representado cada año por todos los Santos, en noviembre, y era tan popular que muchas generaciones de españoles hasta hace poco sabían de memoria largas tiradas de sus versos.

El empaque caballeresco y grandilocuente de aquellos dramas perduraba en los neorrománticos de Echegaray aunque los héroes vistieran ya «de chaqueta». En fin, Marquina y sus contemporáneos inundaron la escena española por unos años con unos dramas poéticos que, lirismo e intencionalidad aparte, recordaban mucho los del tiempo de García Gutiérrez.

Ya nos referimos antes a las copiosas parodias que hubo del drama romántico, y a las que ridiculizaron el de Echegaray. Muñoz Seca conocía bien a su público y el momento teatral, y no se propuso hacer reír a costa de dramas apenas recordados del Siglo de Oro, o siquiera de los más recientes románticos, sino a costa de un movimiento contemporáneo como lo era el modernista y de un género de drama como el poético, que englobaba a los anteriores, y que a pesar de estar presente en las carteleras, era ya vulnerable por sus valores antañones y por su lenguaje sonoro y hueco. Recuérdese que cuando triunfó *Don Mendo* en 1918, en los últimos diez años se habían estrenado, entre muchos otros de interés secundario, los mejores dramas de Marquina, varios de Villaespesa, entre ellos *El Alcázar de las perlas,* y *La Tizona* de López Alarcón y Ramón de Godoy.

En el teatro poético, cuyos temas precisan del verso para expresarse, la calidad de la obra depende de la versificación y de la altura poética del tema. Por ello, la verbosidad, la ramplonería, la vacuidad y la intrascendencia hacen a este género de teatro muy susceptible al ataque. No fue Muñoz Seca el primero que le puso en solfa y bien merece recordarse, en primer lugar, el graciosísimo *Te-*

norio Modernista, de Pablo Parellada, que parodia una vez más el *Tenorio* de Zorrilla y, al mismo tiempo, el léxico de los poetas modernistas. La obra se subtitula «Remembrucia hipocrénica enoemática y jocunda en una película y tres lapsos» y se estrenó en el Teatro Lara de Madrid el 30 de octubre de 1906. Para dar una muestra de su estilo comparo aquí los primeros versos de la famosa carta de Don Juan entregada a Doña Inés por Brígida, en la 3.ª escena del acto III, primera parte del drama zorrillesco, con el texto equivalente de Parellada. Escribe Zorrilla,

DOÑA INÉS. «Doña Inés del alma mía»
¡Virgen Santa, qué principio!
BRÍGIDA. Vendrá en verso, y será un ripio
que traerá la poesía.
¡Vamos, seguid adelante!
DOÑA INÉS. «Luz de donde el sol la toma
hermosísima paloma
privada de libertad;
si os dignáis por estas letras
pasar vuestros lindos ojos,
no los tornéis con enojos
sin concluir; acabad.»
BRÍGIDA. ¡Qué humildad y qué finura!
¿Dónde hay mayor rendimiento?

Vaya ahora la versión

DOÑA INÉS. «Inés, flor de Arimatea»
¡Virgen Santa, qué incipiencia!
BRÍGIDA. Vendrá escrito en Gaya Ciencia
y el pobre ripioplumea.
Vamos, no fragmenticéis.
DOÑA INÉS. «Luz que a febea deslumbra,
irisácida columba
mártir de encerrosidad;
si, exorable, en este léxico
abrís vuestros miradores,
no los cerréis con temores
místicos, epilogad.»

BRÍGIDA.   ¡Qué humildad y qué decires!
¡Qué sentires y anhelares...»[14]

En 1913 vio luz *Troteras y danzaderas,* novela de Pérez
de Ayala que refleja el ambiente artístico y literario del
Madrid de entonces; va escrita en clave[15] y uno de los
personajes es el poeta modernista Pajares, Marquina
para unos críticos y para otros Villaespesa, quien consi-
gue estrenar el drama «A cielo abierto». Valbuena Prat
advierte que hay en él «elementos de Villaespesa, e inclu-
so una imagen del *Alcázar de las perlas*», y que la balada
monorrima en *-í-a,* «Tras de tu airón yo me iría...» semeja otra en un drama de Marquina[16]. Pérez de Ayala com-
paraba «este agudo artificio poético... al del clown que
se despoja sucesivamente de innumerables chalecos, o al
del prestidigitador que extrae del buche kilómetros y kilómetros de multicolores cintas...»[17]. De hecho, estos
dramas pseudo-históricos llegaron a ser tan semejantes
unos a otros que Nicolás González Ruiz daba este gracioso «recetario» para escribirlos:

a)   la acción se sitúa entre el siglo XII y XVIII en cualquier
     época, pues la propiedad del lenguaje se consigue con
     sólo que los personajes se traten de vos y en cuanto
     se les lleve la contraria digan ¡Vive el cielo! o ¡Voto
     a tal!, mezclando palabras como «tenello», «facer»
     o «agora» y frases como «seor bellaco» o «don
     villano»;
b)   la versificación discurre por las vías más fáciles amon-
     tonando ripios, introduciendo largas tiradas de un li-
     rismo barato y acudiendo a latiguillos efectistas[18].

---

[14] Pablo Parellada, *El Tenorio modernista...,* Madrid, R. Velasco,
1912, pág. 12.
[15] Ramón Pérez de Ayala, *Troteras y danzaderas,* edición de Andrés
Amorós, Madrid, Clásicos Castalia, 1972, pág. 16.
[16] Ángel Valbuena Prat, *Historia de la literatura española,* III, Barcelona, Editorial Gustavo Gili, S.A., 1950, pág. 401.
[17] Citado por Valbuena Prat, *ibíd.*
[18] González Ruiz, pág. 189.

La venganza de don Mendo

La venganza de don Mendo es una obra brillante que abunda en juegos de palabras y chistes y que es una degradación a todos los niveles de los elementos propios del drama histórico, con fines paródicos. Los anacronismos presentan una mezcla detonante del ayer y del presente, y los personajes medievales se mueven en un mundo dominado por la moral utilitaria del tiempo de Muñoz Seca. Veamos, en primer lugar, el argumento, y después, el contenido temático, personajes, puesta en escena, lengua paródica y versificación de esta «caricatura de tragedia».

El argumento

Jornada Primera: Don Nuño Manso de Jarama tiene una hija, Magdalena, a la que va a casar con don Pero, duque de Toro y privado del Rey. Esta tiene amores con don Mendo, nobilísimo pero pobre, a quien suele echar una escala desde su cuarto para que la visite por las noches. Sube don Mendo y cuenta que se ha endeudado jugando a las cartas y ha perdido el honor. Como Magdalena quiere casarse con el rico don Pero, ofrece a don Mendo su collar de perlas para que pague la deuda y marche luego a la guerra. En esto, don Pero que pasaba cerca del castillo, ve la escala y sube por ella; al ruido aparece luego don Nuño. Don Mendo ha prometido no deshonrar a Magdalena y jura que entró sólo a robar el collar, a pesar de enterarse de que ésta va a casarse con el de Toro.

En la Jornada Segunda, don Mendo está preso en un torreón. Es el día de la boda; Magdalena y don Pero entran a visitarle pues el futuro marido todavía sospecha de la pretendida virginidad de Magdalena. Don Mendo sigue callando aunque su antigua amante le manda emparedar vivo. Su amigo, el marqués de Moncada, llega disfrazado de fraile y salva a su amigo don Mendo.

Jornada Tercera: Campamento militar de don Pero.

Cuentan a Moncada que se espera al Rey y que éste es amante de Magdalena; aunque ella, que es muy casquivana, adora a un misterioso trovador en quien Moncada reconoce a don Mendo. Los hilos de la acción comienzan a enlazarse unos con otros. La reina se enamora del Trovador y le cita en una cueva cercana; el Rey cita a Magdalena en el mismo lugar y hora; Magdalena lo hace con el Trovador; el marido y el padre de ésta lo oyen y acuden por su lado para lavar su honor; Azofaifa, mora que acompaña al Trovador y le ama, va también para vengarse de su rival.

La Jornada Cuarta tiene lugar dentro de esta espaciosa cueva en la que se buscan y evitan todos los personajes, empujados unos por el amor y otros por la venganza. Anagnórisis dramática: el Trovador se da a conocer a Magdalena como don Mendo. Don Pero se mata al ver que el Rey le deshonra con Magdalena y la maldice, el Rey mata a don Nuño quien quería acabar con Magdalena y cae maldiciendo a su hija también. Azofaifa apuñala a Magdalena y don Mendo, al saberlo, atraviesa a la mora. Luego se suicida con el mismo puñal. La cueva queda cubierta de cadáveres y de damas desmayadas.

El contenido temático

Las parodias teatrales suelen ser obras en un acto que hacen reír a costa de las escenas o los aspectos más destacados de otra obra. En cambio, *La venganza de don Mendo,* como habían hecho antes *Manolo* de Cruz y *Muérete... y verás* de Bretón de los Herreros, no apunta a ninguna en particular sino a todo un género teatral.

Más que una «caricatura de tragedia» *La venganza* lo es de los dramas históricos románticos y de los poéticos cuya estructura y características principales conserva. Tiene lugar en el siglo XII y durante el reinado de Alfonso VII de Castilla. Alfonso llegó a titularse Emperador y guerreó con suerte varia contra otros reyes cristianos y con-

El marques de
Moncada

tra los moros. De su vida privada sabemos que casó dos veces, la primera con Doña Berenguela, hija del conde de Provenza, y que tuvo por amante a una hermosísima asturiana llamada Doña Gontroda. Hasta aquí la historia. A la inventiva de Muñoz Seca debemos el modo con que se comportan estos reyes y la existencia de los otros personajes, así como los nombres de los lugares geográficos citados.

El argumento muestra los desdichados efectos de una pasión defraudada; el amor por Magdalena en la Primera Jornada, da lugar en la Segunda a una lucha en el pecho de don Mendo entre la promesa de callar y el deseo de venganza, deseo que aumenta en la Tercera al ver la veleidad de Magdalena, y que estalla en la Cuarta para alcanzar a todos. Como los demás dramas históricos, *Don Mendo* no respeta ni la unidad de tiempo, pues la acción abarca un periodo indeterminado de varios años, ni la de lugar ya que los acontecimientos suceden en sitios muy diversos, ni la de acción, complicada de tal modo que en la jornada Cuarta apenas hay personaje sin su propio «lío» amoroso.

Los finales de acto son de gran efecto teatral y ponen de manifiesto una vez más el dominio del arte escénico que tenía Muñoz Seca: la promesa de venganza que hace don Mendo; su despedida enigmática al abandonar la cárcel; el baile oriental; y un desenlace sangriento en el que el protagonista muere al tiempo que revela su identidad; «Sabed que menda... es don Mendo / y don Mendo... mató a menda». Finales todos semejantes a los que suelen darse en los dramas históricos pero dotados en este caso de unos elementos paródicos que los degradan y que cambia en risa lo que deberían haber sido emoción y lágrimas.

El reparto incluye galanes, damas y *barbas*, mesnaderos, dueñas y trovadores, y unos comparsas tan variopintos como numerosos para figurar ejércitos y cortejos. Dan el toque exótico las moras y judías de Renato con sus danzas orientales, el confidente Ali-Fafez, y el gracioso conjuro en «árabe» con el que Azofaifa hace hablar a los difuntos.

En cuanto a las situaciones, *Don Mendo* trae ecos de muchas obras conocidas, sobre todo de las propias del teatro romántico. Una buena parte del público de Muñoz Seca, medianamente culto por sus lecturas o por frecuentar el teatro, no podría menos de hallar cómico el encontrarse con personajes o situaciones conocidas de otras obras, y caricaturizadas ahora. Recordemos aquí, y trato de dar los ejemplos más obvios, la escena del padre que ofrece casamiento ventajoso a la hija sin saber que ésta ama a un galán pobre *(Los amantes de Teruel);* el amante que entra por un balcón para caer en brazos de su dama; la inesperada aparición del rival o del padre y sorpresa de los amantes *(Don Álvaro);* el desafío entre rivales embozados, hecho aquí en ovillejos, recuerdo inmediato del *Tenorio;* la heroica negación de la evidencia para salvar el honor de una dama *(Antony);* la fidelidad a un juramento aunque el hacerlo lleve a la muerte *(Hernani);* escenas en las que un trovador o un juglar recitan unos versos de doble sentido que revelan un secreto; el bardo errante que luego resulta un personaje *(El trovador);* los casos de anagnórisis en los que se descubre un parentesco, la identidad de un personaje o que un pretendido difunto está vivo *(Traidor, inconfeso y mártir);* los muertos que regresan del otro mundo para tomar venganza *(Don Juan Tenorio);* la fuerza del destino que lleva a don Mendo y a Magdalena a encontrarse; la sed de venganza que determina las acciones de uno o de varios personajes; la matanza final; y la locura, seguida por el suicidio, del protagonista *(Don Álvaro).*

Enmarcadas en fin en el tema principal van otras narraciones independientes; recordemos el romance de los hermanos Quiñones que recita Bertoldo (I, 10-43), el autobiográfico de don Lindo García (III, 717-90), y las vívidas descripciones del juego de las siete y media (I, 208-82) y de la caza de aves con farol (II, 219-43).

Los personajes

Don Mendo, descrito como un «apuesto caballero como de treinta años, bien vestido y mejor armado», es en lo fundamental el héroe romántico enamorado, valeroso y galante. Es víctima de su respeto a los valores caballerescos y no quebranta el juramento hecho a Magdalena aunque ésta le engaña y pretende matarle. Al escapar de la cárcel abandona su identidad y privilegios sociales para convertirse en un hombre nuevo, nombrado apropiadamente Renato, el juglar errabundo, marcado por el destino:

> Soy un ente, una quimera;
> soy un girón, una sombra;
> alguien sin patria y sin nombre...
> una aberración... un hombre
> que de ser hombre se asombra.
> Cual una nota perdida
> con la ceniza en la frente,
> naufragaré en el torrente
> proceloso de la vida.
> ¿De qué viviré?... ¿Qué haré?
> ¿Dónde al cabo moriré?...
> ¿Aquí o allá?... ¿Qué más da?...
> ¿Seré malo?... No lo sé.
> ¿Seré bueno? ¡Qui lo sa?
> (II, 637-49)

A partir de ahora este misántropo tan sólo vive para la venganza pero las mujeres se vuelven tan locas por él —Azofaifa, Doña Berenguela, la marquesa de Tarrasa, Magdalena sin reconocerle —que Moncada, asombrado, le pregunta: «¿Pero, Mendo, qué las das?». El ser hombre de honor no impide que don Mendo sienta debilidad por las cartas, por el cariñena y por las mujeres guapas y todavía a punto de consumar su venganza, hace el don Juan alegremente del brazo de Doña Berenguela.

Acostumbrados a unas angelicales heroínas fieles hasta la muerte y a otras depravadas y diabólicas, Magdalena no resulta ni Isabel de Segura ni Lucrecia Borgia sino una mujer amoral, calculadora y arribista. Puesta en la clásica situación de escoger entre el amante pobre y el pretendiente rico impuesto por el padre, prefiere al último porque don Mendo «carece de fortuna / y no es amigo del rey... / no me conviene...», «quiero triunfar en la Corte, / quiero brillar» (I, 159-64). Para Magdalena el fin justifica los medios y como una despreocupada «Belle dame sans merçi» no duda en quitar de en medio al enamorado testigo de su deshonra. Como es experta en fingimientos suele jurar en falso, engañar a todos, acusar de mentiroso hasta a su propio padre y desmayarse cuando le conviene. Su incontinencia amorosa es notoria: se acuesta con Don Mendo porque la divierte, con el rey Alfonso, quien la conquistó «al cabo de media hora», para medrar, con otros muchos por devaneo y, encaprichada del trovador, le piropea y le persigue. Tampoco tiene inconveniente la reina en jugársela a su regio consorte y enamora al trovador con democrático desahogo. Tan sólo la dueña Doña Ramírez pretende ser la conciencia de Magdalena pero ésta no le hace ningún caso con lo que la dueña concluye por inhibirse tranquilamente.

Entre los protagonistas masculinos, don Nuño, padre de Magdalena, y don Pero, el esposo, hacen papeles de respeto de los que dan el tono moral a los dramas. Aquí, en cambio, resultan ser unos pobres diablos que hablan campanudamente pero que salen siempre engañados y acaban de modo ridículo. Muñoz Seca, que tan aficionado fue a los toros, no escatimó chistes sobre los cuernos de sus personajes: don Nuño se apellida Manso de Jarama, don Pero es duque de Toro y el desdichado don Mendo, marqués de·Cabra.

El decoro, esa «correspondencia entre la condición o índole de un personaje y las acciones y modo de hablar que se le atribuyen en una obra literaria» [19], brilla aquí

---

[19] F. Lázaro Carreter, *Diccionario de términos filológicos,* Madrid, 1967, págs. 128-9.

por su ausencia. Los contemporáneos de don Mendo tienen muy pocos prejuicios morales y actúan con una frescura que regocija pues la comicidad estriba aquí en el contraste entre lo que estas gentes deberían ser y lo que son en realidad. El «fresco», según una de las acepciones de la palabra que da el *Diccionario* de la Academia, es un «desvergonzado, que no tiene empacho». Lo son Magdalena, la reina, don Mendo y el mismo Alfonso VII quien visita a don Pero para citarse con Magdalena, a la que pregunta, amoroso, mientras la ciñe la espada: «¿Por qué no me has escrito, vida mía?»

En fin, *La venganza de don Mendo* es un drama de honor protagonizado por gentes que no lo tienen. En lugar de principios morales hay conveniencias, en lugar de amor, caprichos y líos de faldas. El drama concluye con tonos de *vaudeville* en la escena de la cueva con una danza de maridos y de mujeres que evitan ser vistos cuando engañan a sus cónyuges, y de maridos que se ofenden al descubrir que sus esposas también les faltan.

La puesta en escena

Además del texto escrito hay otros elementos de capital importancia en la obra de teatro como los decorados, las indicaciones acerca de los personajes y de su modo de representar, y los efectos de luz o de sonido, que caen dentro del dominio de la puesta en escena.

Los decorados en las cuatro jornadas son muy propios de las obras históricas: sala de armas en un palacio, de noche; una mazmorra abovedada; campamento militar entre árboles y con una ciudad amurallada en lontananza; y en el interior de una gran cueva con una cascada y llena de galerías y recovecos. No faltan esos cuadros coloristas y pomposos, tan característicos, como la llegada del rey y su séquito al campamento (III), o la visita de don Pero y Magdalena a la mazmorra, en la que «Entran en escena, primero dos frailes cistercianos, caladas las capuchas,

Dª Berenguela

luego don Nuño, don Pero, el Abad con su gran mitra, don Juan, don Tirso y don Crespo, tres nobles de Pravia, frailes, soldados, etc., etc. Por último entra Magdalena, con el traje de boda, apoyada en Doña Ninón» (II).

Sin embargo, el omnipresente afán paródico desvirtúa el dramatismo de las situaciones o algún detalle inesperado las convierte en ridículas. La presencia de don Mendo al pie del torreón de Magdalena se advierte por los compases de «El relicario», un cuplé muy popular en tiempos de Muñoz Seca (I), «trompetazos y musiquilla» solemnizan la llegada del monarca al campamento (III) y para ver bien al trovador, Doña Berenguela se cala los impertinentes (III). La misma comicidad por degradación tienen las acotaciones escénicas que van dirigidas más a los lectores del texto que al director de escena. Así, la dueña Doña Ramírez es «una mujer como de cincuenta, algo bigotuda y tal», y Magdalena, al saber que su padre la destina a don Pero, acciona «Aterrada, dejándose caer sin fuerzas en una silla, digo sin fuerzas, porque si se deja caer con fuerzas puede hacerse daño» (I).

La lengua paródica

Para Ricardo Senabre, fue Arniches quien inventó la «dislocación expresiva» de la lengua, y ésta consiste en «la deformación intencionada de vocablos y expresiones con fines humorísticos» [20]. En Arniches se inspiró Muñoz Seca y sus obras abundan al nivel semántico en los chistes y juegos verbales característicos de un género propio llamado *astracán*. Del *astracán* provienen no pocos de los recursos de deformación semántica y fonética que caracterizan los versos de *Don Mendo*. En ellos, la dislocación del lenguaje está encaminada a ridiculizar un modo de escribir pretendidamente clásico que resultaba ya solemne-

---

[20] Citado por Ruiz Ramón, *Historia... Siglo XX,* pág. 42.

mente hueco y que iba sembrado de tópicos y de frases hechas.

En primer lugar, hay aquí elementos de esa imitación convencional del castellano antiguo llamada «fabla», jerigonza que usaron los románticos siempre con poca fortuna:

> Un collar Sancha tenía
> y a don Lindo lo entregó
> para perdelle y aluego
> matalle sin compasión.
> Que la noche que donóle
> el collar... (III, 765-770)

Una consecuencia lógica es el uso indiscriminado de caprichosos «arcaísmos» como «yo mesmo», «follón», «agora». Hay también ecos del teatro poético —recordemos la fórmula de González Ruiz a propósito de los dramas pseudo-históricos— en el desaforado jurar de los personajes: «¡Lo juro por Belcebú!» (I, 310), «*Mendo:* ¡Vive el cielo! ¡Venga el duelo! / *Pero:* ¡Vive Dios! ¡Aunque sean dos!» (I, 403-4).

Tradicional ha sido hacer reír en el teatro a costa de un costumbrismo desorbitado que presenta tipos y acentos provinciales o extranjeros. En *Don Mendo* hay una marquesa de Tarrasa que habla con fuerte acento y que a veces se expresa en un catalán dudoso:

> ¡Qué preciós, Mare de Deu!
> No vi duncel más hermós
> ni en Sitges, ni en Palamós,
> ni en San Feliú... ni en Manlléu. (IV, 329-332)

Aparecen también unos hombres de armas vizcaínos al servicio de don Nuño, con nombres tan enrevesados como Otalaorreta y Mendingundinchía, y aquí y allá, hay unas palabras en «latín», en italiano y en «caló», además de un conjuro en un galimatías que pretende ser árabe.

Ni los personajes se comportan con el decoro debido a su condición, como vimos antes, ni tampoco se expresan en ocasiones con un lenguaje adecuado a su rango o a su época. La lengua convencionalmente solemne y antañona de estos caballeros y estas damas está salpicada de expresiones y palabras modernas, de coloquialismos y a veces de giros vulgares que contrastan violentamente con el tono general. Doña Ramírez piensa que «aquí se va a armar la gorda» (I, 186), exclama «¡A mí... plin!» (IV, 241) y don Mendo cae en la cuenta de que con Magdalena está «haciendo el primo», «el oso» y «el canelo». También suele tener gran efecto el contraste entre una palabra o una frase prosaicamente moderna y el resto del diálogo:

MONCADA.	Os lo diré;
	Mas por Dios tranquilizaos.
MENDO.	Estoy tranquilo. Sentaos.
MONCADA.	Muchas gracias.
MENDO.	No hay de qué.

(II, 215-18)

A veces estas expresiones alcanzan un tono subido disfrazado apenas con una palabra de sonido semejante, «¡Hacen falta más Quiñones!» (I, 29) o con un sinónimo, «es más coqueta / que las clásicas gallinas» (III, 342-3).

Abundan las paronomasias: «cerca de la cerca» (I, 218), «Sabed que menda es don Mendo» (IV, 566); la deformación intencionada de vocablos que llega hasta la ruptura voluntaria de reglas gramaticales, siempre con fines humorísticos: «Pieces» por «pies», «rompido» por «roto», y la invención de neologismos derivados absurdamente: «Gracia tan loadora y valedora». Características son también las dilogías o equívocos: «y don Pero que es un pez / está por vos escamado» (II, 274-5), «terció y os hizo mal tercio» (II, 130). A veces el juego de palabras se hace con nombres propios: Doña Sancha casó con don Suero pues «en aquel Suero veía un remedio» (III, 159), unos nobles asturianos, llegados desde Pravia para salvar el honor familiar, exclaman: «Para lavar el baldón, / la mancha que nos agravia, / Conde Nuño, henos de Pravia» (II, 502-4), y sus palabras recuerdan así un anuncio del jabón *Heno de Pravia*.

Con esto entramos ya en el dominio de las alusiones a personas, cosas o situaciones contemporáneas, tan frecuentes en esta parodia. Merecen especial atención las de índole taurina que tenían el éxito seguro por ser clarísimas a todo aficionado y por referirse a la infidelidad conyugal. Vaya un ejemplo: El rey, que es amante de Magdalena, premia las proezas guerreras de don Pero permitiéndole que añada a su escudo cinco banderas pequeñas («banderillas») junto a una cruz y además el lema «No hay barreras para mí, / pues si hay barreras, las salto», por haber tomado las plazas de Alcoló y del Olivo. En términos taurinos resulta que el rey *le pone cinco banderillas en la cruz* al marido cornudo quien *tomó el olivo* (se refugió en los burladeros) y, según reza su divisa, es capaz de saltar todas las barreras que se le presentan.

Señalaremos, en fin, la presencia de la aliteración,

> ¿Qué incoa
> mi espíritu? Lo que incoe
> ya mi cerebro corroe.
> ¿Más qué importa que corroa?
> Aspid que mi pecho roe
> prosigue tu insana roa... (II, 387-92);

de la anáfora: «Aquesto es, Renato, que muero de amores; / aquesto es, Renato, que muero de celos. / Aquesto es que anhelos...» (111, 219-20); y la repetición de una misma palabra o de sinónimos: «y la creyó y difundió / y me ofendió y ultrajó...» (II, 486-7).

La versificación

Esquema métrico

Jornada I

Versos 1-4: Silva
  5-9: Bisílabos consonantados *a b a a b*

10-30: Quintillas
30-33: Cuarteta
34-43: Quintillas
44-47: Cuarteta
48-57: Quintillas
58-87: Silva
88-112: Dodecasílabos consonantados
113-178: Romance -é
179-186: Cuartetas octosílabas
187-207: Silva
208-357: Quintillas
358-369: Redondillas
370-373: Cuarteta
374-377: Redondilla
378-397: Ovillejos
398-420: Octosílabos consonantados
421-433: Trisílabos sueltos. El verso 427 es hexasílabo
434-436: Hexasílabos sueltos
437-487: Endecasílabos consonantados
488-591: Octosílabos consonantados

Jornada II

1-38: Silva
39-152: Romance é-o
153-161: Dodecasílabos consonantados
162-328: Combinación caprichosa de Redondillas, Quintillas y Sextinas.
329-386: Romancillo hexasílabo í-a
387-432: Octosílabos consonantados
433-438: Dodecasílabos pareados
439-480: Romance é-o
481-663: Octosílabos consonantados

Jornada III

1-116: Cuartetas y redondillas
117-218: Romance é-a

40

219-258: Romance dodecasílabo *é-o*
259-343: Quintillas
344-377: Versos de 7 y de 4 sílabas consonantados
378-461: Octosílabos consonantados
462-485: Quintillas (467-470: Cuarteta)
486-539: Romance *á-o*
540-641: Silva (El verso 618 es trisílabo)
642-661: Redondillas y cuartetas
662-716: Quintillas
717-790: Romance *-ó*
791-826: Redondillas

Jornada IV

1-46: Romance *-á*
47-86: Octavas reales
87-150: Redondillas
151-196: Romance *-ó*
197-256: Quintillas
257-264: Romance *ó-a*
265-272: Romance *é-o*
273-278: Romance *ó-o*
279-382: Quintillas (329-332: Redondilla)
383-518: Romance *á-o*
519-558: Redondillas
559-563: Quintilla
564-567: Redondilla

El manuscrito de *La venganza* y el de «El pendón de don Fruela» muestran que su autor escribía con facilidad y dejándose llevar por el ritmo de los versos que salían de su pluma, sin detenerse a considerar, en ocasiones, si iban mezcladas quintillas de diverso tipo, si entre ellas se escapaba alguna redondilla, o si en una tirada de trisílabos aparecía un verso de seis.

Según el cuadro anterior vemos que Muñoz Seca se sirvió primordialmente del octosílabo que usó en forma de romance, de quintillas, cuartetas y redondillas. Le siguen los versos de once sílabas, combinados por lo general con los de siete, sueltos, a la manera de silvas. Hay también dodecasílabos, polirrítmicos aquí, divididos en dos hemistiquios de seis sílabas cada uno.

Aparte de aquellas ocasiones en que usa específicamente cuartetas y redondillas, o quintillas de rima varia, éstas aparecen también con profusión en las tiradas de octosílabos rimados libremente, así como los tercetos, los pareados y, en ocasiones, alguna sextilla. Lo mismo ocurre en las «silvas» con la caprichosa combinación de heptasílabos y endecasílabos. Tanto en ellas como en las tiradas octosilábicas son muy frecuentes los versos monorrimos. Tan sólo una vez aparecen el romance dodecasílabo (III, 219-258), y el romancillo hexasílabo (II, 329-86), la octava real (IV, 47-86) y dos ovillejos (I, 378-97). Esta riqueza métrica no tiene tan sólo por fin la variedad y es primordialmente de orden semántico pues a cada situación corresponde un tipo de versificación adecuada.

Don Mendo es una obra polimétrica que compendia los metros y combinaciones más usados en el teatro por los románticos y luego por los modernistas, y hay en ella claros ecos paródicos del estilo de otros autores y de otras obras. No es difícil reconocer el barroco calderoniano en aquellos versos en los que el protagonista llama a su amada

> Ave, rosa, luz, espejo,
> rayo, linfa, luna, fuente,
> ángel, joya, vida, cielo... (II, vv. 126-28),

ni el recuerdo del romancero en la historia de «Los cuatro hermanos Quiñones», recitada por Bertoldino y en la de «Don Lindo García» que cuenta el pretendido Renato. La entrevista de don Nuño con su hija [«¿Y con quién mi boda, padre, has concertado?», I, 88-112] evoca, métricamente, la de los padres de Leonor y Diego [«Don Pedro Segura, seáis bien venido...»] en *Los amantes de Teruel*. Reconocibles son también los famosos ovillejos del *Tenorio* en el duelo verbal que sostienen don Mendo y don

Pero (I, 378-397), y, en casos como éste, el delicado lirismo zorrillesco,

> Y entre estos peñascos romos,
> en este lugar perdido,
> que semeja un bello nido
> de ninfas, hadas y gnomos;
> en esta penumbra grata,
> bajo esta bóveda oscura,
> y oyendo como murmura
> la limpia fuente de plata... (IV, 99-106)

De índole modernista son los dodecasílabos que recita Azofaifa [«¿Por qué me engañaste? ¿Por qué me dijiste...», III, 247 y ss.] o la tirada de heptasílabos y tetrasílabos agudos de la jornada III:

Magdalena	
(a don Mendo)	Trovador, soñador,
	un favor
Mendo	¿Es a mí?
Magdalena	Sí, señor.
	Al pasar por aquí
	a la luz del albor
	he perdido una flor.
Mendo	¿Un flor de rubí? (345-50)

En este nivel métrico aparecen también, y profusamente, los recursos degradatorios. Así, los versos esdrújulos que usan palabras extravagantes y que siempre fueron recurso de gran efecto cómico:

Mendo	Mora en otro tiempo atlética
	y hoy enfermiza y escuálida,
	a quien la pasión frenética
	trocó de hermosa crisálida
	en mariposa sintética... (III, 369-273);

la frecuencia de la rima en agudo como «zumbón» y «gorrón», «trajín» y «¡A mí... plín!», para aumetar la sensación de ripio; las enumeraciones rápidas y burlescas: «temblorosa, cautelosa, recelosa»; numerosísimas rimas en eco del estilo de «que dura porque perdura» y «son dignas del estro vuestro»; o encabalgamientos voluntariamente torpes, entre los que destaca aquella joya de «pues muy pronto, amigo fiel, / habré de hundírmelo en el / quinto espacio intercostal» (II, 322-3). Muñoz Seca, en fin, llevó al virtuosismo en su *Don Mendo* el cultivo del ripio, de la rima forzada y del verso malo, todo en aras de la parodia. Abundan en él rimas tan intencionadamente extravagantes como la de «Sigüenza» con «sinvergüenza», «¡Qué risa!» con «prisa», «mereces» con «pieces» [«pies»], «R.I.P.» con «fe» y, a punto de concluir la obra, la risa de don Mendo loco forma todo un verso «Ja, ja, já, ja, ja, já» que rima con «La razón perdido ha».

La venganza de don Mendo, ayer y hoy

La venganza de don Mendo se estrenó en el teatro de la Comedia, en Madrid, la noche del 20 de diciembre de 1918. Era el de la Comedia un prestigioso teatro inaugurado en 1875 y a cargo entonces de don Tirso Escudero, que fue su empresario por muchos años. Contaba con una gran compañía y entre los consagrados y noveles que estrenaron *La venganza* aquella noche figuraban actores muy conocidos hoy. Adela Carboné, «depurada artista», hizo de *Azofaifa* y, «vestida de mora con largo pantalón bombacho y túnica de crespón morado» [21]; Aurora Redondo, jovencísima entonces, que fue llamada a escena dos veces por el «delicioso acento catalán» de su *marquesa de Tarrasa;* Juan Bonafé *(Don Mendo);* Juan Espantaleón *(Don Nuño);* y un Mariano Asquerino tan novel que tuvo a su cargo los papeles secundarios de *Bertoldino* y *Froilán.* Todos ellos fueron muy alabados en la representación de sus papeles.

La empresa no escatimó gastos al montar la parodia y Eduardo Haro representaba bien el sentir de la prensa con-

[21] «B.G.», *El Sol,* 22-XII-1918.

temporánea cuando escribía: «La escena fue servida de todo momento de un modo suntuoso. El decorado, espléndido; los trajes, ricos y artísticos, debidos a bellos figurines hechos por el notable D'Hoy; el atrezzo, todo, en fin, fue magnífico» [22]. El decorado se debía a los escenógrafos de la Comedia, Blancas y Amorós. Al éxito contribuyó también un juvenil Federico Moreno Torroba con la «primorosa» danza oriental del tercer acto.

Según opinión unánime de quienes lo reseñaron, el estreno fue «sencillamente arrollador», «aplaudido con estrépito por un auditorio selectísimo», el público estaba «encantado», «se rió constantemente y aplaudió mucho», y se interrumpieron «muchas escenas con espontáneas ovaciones». Es más, ante la insistencia del «respetable», Pedro Muñoz Seca tuvo que salir a escena varias veces al final de cada jornada.

Los reparos fueron escasos. Hubo quienes vieron en *La venganza* una falta de respeto a nuestros clásicos o un desacato a los románticos, otros lamentaban el exceso de ripios o el que una simple parodia alcanzase la extensión de cuatro actos, y no faltó quien juzgara intolerables por su procacidad algunos chistes y juegos de palabras aunque, al parecer, los espectadores los acogieron con entusiasmo.

Muñoz Seca dominaba la dinámica teatral y tenía muchos años de oficio. Escribió *Don Mendo* sirviéndose de los mismos recursos que se usaban para hacer los dramas históricos, escogió un tema peligrosamente parecido a los propios de aquellos dramas, lo desarrolló y logró una obra de acción bien planeada, que divierte y llega a interesarnos. Al tiempo que nacía esta parodia, progresaban una refundición suya de *Las famosas asturianas* de Lope de Vega, y *La verdad de la mentira* [23]. Parece que don Pe-

[22] Eduardo Haro, *La Mañana,* 22-XII-1918. De hecho, en la edición de Pueyo que manejamos, las ilustraciones son de D'Hoy y corresponden sin duda a esos figurines.

[23] *Las famosas asturianas* fue estrenada el 23-XII-1918 en el teatro

dro escribía con la misma facilidad en verso y en prosa; aquí se advierten su soltura para versificar y una capacidad para remedar estilos ajenos que revela unos conocimientos literarios bastante amplios y bien asimilados. *La venganza de don Mendo* presentaba una Edad Media antiheroica y prosaica y unos personajes deshonestos, brutales o simples, y el público tomó esta obra como una parodia para reírse, que es lo que pretendía ser. No faltaron, sin embargo, algunos ingenuos que lamentaron el «desperdicio» que hacía Muñoz Seca de un argumento y de unos versos que, con un poco de arreglo, podrían haber alcanzado alto nivel dramático.

La venganza de don Mendo se estrenó hace sesenta y seis años y, entre España y América, se habrá representado muchos cientos de veces, quizá miles. Todavía las gentes maduras hoy recuerdan versos y frases suyas; como muchos de sus contemporáneos, mi padre sabía de memoria largas tiradas del *Don Mendo* y del *Tenorio*, y se divertía aplicando frases de ambos a situaciones que le parecían oportunas[24]. Esta fidelidad del público contrasta, como vimos anteriormente, con la opinión de la crítica por los mismos años que va considerando más y más el astracán como un género relegado por su falta de interés y de calidad literaria. Defendió el astracán Manuel Machado, Torrente Ballester le atribuyó una «comicidad situacional», y González Ruiz, quien juzgaba *La venganza*

---

de la Zarzuela; *La verdad de la mentira,* el 31 de diciembre del mismo año en el de la Princesa.

[24] Debía yo tener once años cuando me llevó mi padre a ver *La venganza de don Mendo,* un verano en San Sebastián. De ella recuerdo alguna frase suelta y unos decorados maravillosos que fingían espesos muros de piedra amarillenta y bosques con árboles indescriptibles, pintados sobre telones sutiles y temblorosos. También la matanza final, que produjo gran jolgorio al público aquel de veraneantes, pues los cómicos difuntos o desmayados se iban arrastrando por el suelo para hacer sitio a las nuevas víctimas. Al cabo, el apuntador salió de su concha, en mangas de camisa y con el librito en la mano, se volvió de cara al respetable y cayó también al suelo, supongo que para hacer buena la frase de que «no quedó ni el apuntador».

una «parodia francamente graciosa», hacía notar su influencia sobre ciertas obras de Jardiel Poncela.

Un vistazo de las ediciones de esta parodia publicadas desde su estreno hasta hoy mostrará que dejando aparte las *Obras completas* y las impresiones americanas, hubo dos ediciones de *La venganza de don Mendo* poco después de su estreno, tres en los años 20 y ninguna durante los de la República y de la Guerra Civil. En cambio hay seis de los años 40 que indicarían una revalorización de Muñoz Seca, posiblemente por seguir todavía el teatro derroteros algo semejantes a los de los años 30, y quizás por razones de índole política. Tres ediciones en los 50, dos en los 60 y otras dos en los 70 marcan el progresivo despego de unas generaciones nuevas que tienen otros intereses y otro sentido del humor.

Sin embargo, *La venganza de don Mendo* sigue viva. Afrodisio Aguado continúa reimprimiendo una edición con prólogo de Benavente y graciosos dibujos de Enrique Herreros; se representó hace tres años en Buenos Aires con gran entusiasmo del público, al decir de quienes la vieron; y hace dos se dio, también con éxito, en Madrid. *Don Mendo* parece haberse convertido por derecho propio en una tradición, en una especie de «obra clásica» popular a la manera que lo son el *Tenorio* o *La verbena de la Paloma,* de ésas que siempre cuentan con un público fiel. Esperemos que nuestra edición, la primera que estudia esta parodia, logre interesar a los amantes del teatro.

Noticia bibliográfica

El manuscrito

El manuscrito de *La venganza de don Mendo* que he consultado, el único del que se tiene noticia, obra en poder de las hijas de Pedro Muñoz Seca, quienes amablemente lo pusieron a mi disposición. El texto es autógrafo y va escrito en cuartillas rayadas de 23 × 16 cms., foliadas así: 44 páginas corresponden a la Jornada Primera, 46 a la Segunda, 58 a la Tercera, y 46 a la Cuarta.

Por el esmero y detalle con que está escrito, parece una copia en limpio del texto, en la que luego se han introducido nuevas variantes. Un cotejo entre este texto y el de «El pendón de Don Fruela», mucho más embrionario, confirmaría tal hipótesis. Con todo, hay buen número de variantes, la mayoría retoques de estilo, y algunas son de interés, como varias tiradas de versos que se omitieron luego, con lo que el texto salió ganando. La más importante se refiere al desenlace del drama que en el ms. tiene lugar en el verso 564, al clavarse don Mendo el puñal mientras dice:

> ¡Ved como muere un león
> cansado de hacer el oso!

Este final a mi juicio, es más teatral y más rotundo que el que ha llegado hasta nosotros, seis versos más abajo; incluye un comentario de Moncada, otro de Froilán y un último juego de palabras en el que el moribundo trovador revela su identidad, no sin cierta chulería castiza:

> Sabed que menda... es don Mendo
> y don Mendo... mató a menda.

Como es sabido, la obra alcanzó gran éxito; buena prueba de su popularidad son las numerosas ediciones que vieron luz desde entonces:

La venganza de don Mendo. Caricatura de tragedia en cuatro jornadas, original, escrita en verso, con algún que otro ripio. Madrid: Pueyo, Imprenta Helénica (1919) [4.ª edición, 1925].

Madrid: R. Velasco, Sociedad de Autores Españoles, 1919. Contiene la partitura musical del romance «Era don Lindo García...» (págs. 82-91). Esta edición muestra algunas de las erratas que aparecen en la de Pueyo, del mismo año. No he podido precisar cuál de estas dos ediciones, ambas de 1919, sea la primera cronológicamente. Rosario Muñoz Seca cree que la primera fue ésta de Pueyo y en ella he basado mi edición.

Madrid, Editorial Siglo XX, 1927.

Madrid, E. de Miguel, 1940.

Buenos Aires, Editorial Glem, 1942.

Madrid, Afrodisio Aguado, 1943 [12.ª edición, 1978].

Buenos Aires, Ediciones Quetzal, 1957.

Montevideo, Mundo Nuevo, s.f. (entre 1973-77).

Obras completas, 7 vols., Madrid, Ediciones Fax, 1954-1969.

Esta edición

La presente edición está basada en el texto manuscrito de *La venganza de don Mendo* y en el de la edición de Madrid, Pueyo, Imprenta Helénica (1919). Las variantes textuales respecto del manuscrito van indicadas por asteriscos. Las notas aclaratorias llevan el número del verso al que corresponden dentro de cada acto. Incluyo también en Apéndice la transcripción de unas páginas manuscritas de «El pendón de don Fruela», otra parodia de drama histórico que preparaba Muñoz Seca, y ahora impresa por primera vez.

Quiero expresar mi agradecimiento a Doña Rosario Muñoz Seca, hija del creador de *Don Mendo,* la cual facilitó tanto mi tarea brindándome generosamente su amistad y los archivos familiares. Quiero dar las gracias también al Prof. Piero Menarini y a Valentina Valverde Rodao, ambos de la Universidad de Bolonia, y al Sr. Josiah Blackmore, de Ohio State University.

Bibliografía selecta

ARAQUISTAIN, Luis, *La batalla teatral,* Madrid, Mundo Latino, 1930.

CARRETERO, José María («El Caballero Audaz»), *Galería; más de cien vidas extraordinarias contadas por sus protagonistas...,* Madrid, Ediciones Caballero Audaz, 1943.

CRESPO MATELLÁN, Salvador, *La parodia dramática en la literatura española, Acta Salmanticensia,* 107, Salamanca, Filosofía y Letras, 1979.

DÍEZ-CANEDO, Enrique, *Artículos de crítica teatral. El teatro español de 1914 a 1936,* 2 vols., México, Joaquín Mortiz, 1968.

DÍAZ DE ESCOVAR, Narciso, *Historia del teatro español,* II, Barcelona, Montaner y Simón, 1924.

FUENTE BALLESTEROS, Ricardo de la, «Memoria de Licenciatura, Curso 1980-81. El teatro de Pedro Muñoz Seca: obras propias», Universidad de Valladolid, Facultad de Filosofía y Letras, Director, Dr. José Fradejas Lebrero, 329 páginas mecanografiadas.

GARCÍA LORENZO, Luciano, «La denominación de los géneros teatrales en España durante el siglo XIX y el primer tercio del XX», *Segismundo,* núms. 5-6 (1967), 191-199.

GARCÍA PAVÓN, Francisco, *El teatro social en España 1895-1962,* Madrid, Taurus, 1962.

— «Inventiva en el teatro de Jardiel Poncela, *Cuatro corazones con freno y marcha atrás»,* en *El teatro de humor en España,* J. Rof Carballo *et al.,* Madrid, Editora Nacional, 1966.

GONZÁLEZ BLANCO, Andrés, *Los dramaturgos españoles contemporáneos,* 1.ª serie, Valencia, Editorial Cervantes, S.A.

GONZÁLEZ RUIZ, Nicolás, *La literatura española,* Madrid, Ediciones Pegaso, 1943.

— «El teatro de humor del siglo XX hasta Jardiel Poncela», en *El teatro de humor de España,* J. Rof Carballo *et al.,* Madrid, Editora Nacional, 1966.

LÓPEZ PINILLOS, José, *Cómo se conquista la notoriedad; los favoritos de la multitud,* Madrid, Pueyo, 1920.

MENARINI, Piero, «García Gutiérrez e l'autoparodia del *Trovador», Spicilegio Moderno,* núm. 8 (1977), 115-123.

MENARINI, Piero, Garelli, Patrizia, San Vicente, Félix y Vedovato, Susana, *El teatro romántico español (1830-1850). Autores, obras, bibliografía,* Bolonia, Atesa, 1982.

MONTERO ALONSO, José, *Pedro Muñoz Seca; Vida ingenio y asesinato de un comediógrafo español,* Madrid, Ediciones Españolas, 1939.

PÉREZ DE AYALA, Ramón, *Troteras y danzaderas,* edición de Andrés Amorós, Madrid, Clásicos Castalia, 1972.,

RUIZ RAMÓN, Francisco, *Historia del teatro español. Siglo XX,* Madrid, Ediciones Cátedra, 1975.

TIERNO GALVÁN, Enrique, *Desde el espectáculo a la trivialización,* Madrid, Taurus, 1961.

TORRENTE BALLESTER, Gonzalo, *Siete ensayos y una farsa,* Madrid, Ediciones Escorial, 1942.

— *Teatro español contemporáneo,* Madrid, Ediciones Guadarrama, 1957.

— *Panorama de la literatura española contemporánea,* Madrid, Ediciones Guadarrama, 1961.

VALBUENA PRAT, Ángel, *Historia de la literatura española,* III, Barcelona, Editorial Gustavo Gili, S.A., 1950.

— *Historia del teatro español,* Barcelona, Editorial Noguer, 1956.

VALVERDE RODAO, Valentina: «Lo que son tragedias o la parodia dramática de 1830 a 1850», en *Teatro romantico spagnolo,* Bolonia, Quaderni della Facoltà di Lettere e Filosofia dell'Università di Bologna, 4, 1984, págs. 135-161.

A su querido amigo y protector
el Excelentísimo Señor
Don José Sánchez Guerra,

El autor[a].

Las abreviaturas *T.* (Tachado) y *Om.* (Omitido) se refieren al texto
en el manuscrito original.
  [a] *Om.:* toda la dedicatoria.

LA VENGANZA DE DON MENDO

CARICATURA DE [a] TRAGEDIA
EN CUATRO JORNADAS, ORIGINAL, ESCRITA EN VERSO, CON ALGÚN QUE OTRO RIPIO

---

[a] *Om.:* «Caricatura de».

PERSONAJES [a]

MAGDALENA	FROILÁN
AZOFAIFA	CLODULFO
DOÑA RAMÍREZ	GIRONA
DOÑA BERENGUELA	DON LUPO
MARQUESA	LEÓN
DUQUESA	SIGÜENZA
RAQUEL	MANFREDO
ESTER	MARCIAL
REZAIDA	ALÍ-FAFÉZ
ALJALAMITA	DON JUAN
NINÓN	DON LOPE
MENCÍAS	DON GIL
DON MENDO	LORENZANA
DON NUÑO	DON SUERO
MONCADA	ALDANA
ABAD	DON CLETO
DON ALFONSO VII	OLIVA
BERTOLDINO	DON TIRSO

Damas, pajes 1.º y 2.º, heraldos 1.º y 2.º, tamborilero, pifanero, frailes, escuderos, ballesteros y halconeros.

NOTA.—Para facilitar el reparto de esta obra, sepan los directores de compañías que un mismo actor puede interpretar los papeles de Lorenzana, Abad y Alfonso VII; otro, los de Bertoldino, Clodulfo, Froilán y Alí-Faféz; otro, los de Aldana, Don Juan y Don Lope; otro, los de Oliva, Don Tirso y Don Lupo; y lo mismo ocurre con los de Sigüenza y Manfredo; León y Girona; Marcial y Don Suero, etc., etc.

---

[a] El ms. dice:
«Personajes de la Jornada Primera.
Magdalena

JORNADA PRIMERA

Sala de armas [a] del castillo de don Nuño Manso de Jarama, Conde del Olmo. En el lateral derecha, primer término, una puerta. En segundo término y en ochava una enorme chimenea. En el foro puertas y ventanales que comunican con una terraza. En el lateral izquierda, primer término, el arranque de una galería abovedada. En último término otra puerta. Tapices, muebles riquísimos [b], armaduras [c], etc., etc. Es de noche. Hermosos candelabros dan luz a la estancia. En la chimenea viva lumbre. La acción en las cercanías de León [d], allá en el siglo [e] XII, durante el reinado de Alfonso VII.

Doña Ramírez
Don Mendo, Marqués de Cabra
Don Nuño, Conde del Olmo
Don Pero, Duque de Toro
Bertoldino, juglar
Lorenzana
Aldana   Jefes de armas
Oliva
Doña Ninón
Damas, escuderos, pajes, vasallos, servidumbre del castillo».

[a] «Sala de retratos».
[b] *T.:* «de severo estilo español».
[c] «y retratos al óleo, ricamente enmarcados». A continuación, *T:* «de damas y caballeros mal encarados y bien vestidos, etc., etc.».
[d] *T.:* «Aragón».
[e] *T.:* «doce o era el trece, me da lo mismo».

(Al levantarse el telón están en escena el CONDE DON NUÑO[a], MAGDALENA su hija, DOÑA RAMÍREZ su dueña, DOÑA NINÓN, BERTOLDINO un joven juglar, LORENZANA, ALDANA, OLIVA, varios Escuderos y todas las mujeres que componen la servidumbre del castillo, dos FRAILES y dos PAJES[b]. EL CONDE en un gran sillón, cerca de la lumbre, presidiendo el cotarro, y los demás formando artístico grupo y escuchando a BERTOLDINO, que en el centro de la escena está recitando una trova.)

NUÑO

(A BERTOLDINO, *muy campanudamente.)*
Ese canto, juglar, es un encanto.
Hame gustado desde su principio,
y es prodigioso que entre tanto canto
no exista ningún ripio.

MAGDALENA

Verdad.   5

NUÑO

(A BERTOLDINO.*)*
            Seguid.

BERTOLDINO

(Inclinándose respetuoso.)
            Mandad.

---

[a] *Om.:* «Don Nuño».
[b] *Om.:* «dos frailes y dos pajes».

NUÑO

(Enérgico, a varios que cuchichean.)
¡Callad!

BERTOLDINO

Oíd.
(Se hace un gran silencio y recita enfáticamente.)
Los cuatro hermanos Quiñones   10
a la lucha se aprestaron,
y al correr de sus bridones,
como cuatro exhalaciones,
hasta el castillo llegaron.
¡Ah del castillo! —dijeron—.   15
¡Bajad presto ese rastrillo!
Callaron y nada oyeron,
sordos sin duda se hicieron
los infantes del castillo.
¡Tened el puente!... ¡Tendello!   20
Pues de no hacello, ¡pardiez!,
antes del primer destello
domaremos la altivez
de esa torre, habéis de vello...
Entonces los infanzones   25
contestaron: ¡Pobres locos!...
Para asaltar torreones,
cuatro Quiñones son pocos.
¡Hacen falta más Quiñones!
Cesad en vuestra aventura,   30
porque aventura es aquesta
que dura, porque perdura
el bodoque en mi ballesta...
Y a una señal, dispararon
los certeros ballesteros,   35
y de tal guisa atinaron,
que por el suelo rodaron

---

[33] «bodoque» = proyectil esférico.

corceles y caballeros.
(Murmullos de aprobación.)
Y según los cronicones
aquí termina la historia   40
de doña Aldonza^a Briones,
cuñada de los Quiñones
y prima de los Hontoria.
(Nuevos murmullos.)

NUÑO

Esas estrofas magnánimas
son dignas del estro vuestro.   45
(Suena una campana.)

BERTOLDINO

Gracias, gran señor.

NUÑO

(Levantándose solemne.)
                    ¡Las ánimas!
(Todos se ponen de pie.)
Padre nuestro...
(Se arrodilla y reza.)

TODOS

(Imitándole.)
                    Padre nuestro...
(Pausa. La campana, dentro, continúa un breve instante sonando lastimosamente.)

---

^a «de».
⁴⁵ «estro» = inspiración.
⁴⁷ El colorido grupo de personajes que forma un cuadro plástico mientras tañe la campana puede servir como ejemplo de los recursos de puesta en escena característicos de los dramas históricos.

Y ahora, deudos, retiraos,
que es tarde, y no es ocasión
de veladas ni saraos.   50
Recibid mi bendición.
(Los bendice.)
Magdalena y vos, quedaos.
(MAGDALENA y DOÑA RAMÍREZ se inclinan y se colo-
can tras él, en tanto desfila ante el CONDE toda la
servidumbre.)
Adiós, mi fiel Lorenzana
Y Guillena de Aragón...
Buenas noches, Pedro Aldana.   55
Descansad... Hasta mañana,
Luis de Oliva... Adiós, Ninón...
(Quedan en escena el CONDE, MAGDALENA y DOÑA
RAMÍREZ. Bueno, el CONDE, que ya es anciano, es
un tío capaz de quitar, no digo el hipo, sino la hipo-
clorhidria; MAGDALENA es una muchacha como de
veinte años, de trenzas rubias, y DOÑA RAMÍREZ
una mujer como de cincuenta, algo bigotuda y tal.)

Ahora que estamos solos, oídme atentas.
Necesito que hablemos un instante
de algo para los dos muy importante,   60
(MAGDALENA toma asiento y el CONDE la imita, di-
ciéndola sin reproche.)
Me sentaré, puesto que tú te sientas.

MAGDALENA

Dime, padre y señor.

---

57 «Adiós, Ninón». Canción de la época, que cantaba la Fornarina,
original de Albert Valenci.

NUÑO

Digo, hija mía,
y al decirlo Dios sabe que lo siento,
que he concertado al fin tu casamiento,
cosa que no es ninguna tontería.   65
(MAGDALENA *se estremece, casi pierde el sentido.*)
¿Te inmutas?

MAGDALENA

(Reponiéndose y procurando sonreír.)
        ¡No, por Dios!

NUÑO

(Trágicamente escamado.)
                        Pues parecióme.

MAGDALENA

No extrañes que el rubor mi rostro queme;
de improviso cogióme
la noticia feliz... e impresionéme.

NUÑO

Has cumplido, si yo mal no recuerdo,   70
veinte abriles.

MAGDALENA

        Exacto.

NUÑO

                No eres lerda.
Pues toda la familia está de acuerdo
en que eres mi trasunto, y si soy cuerdo,
siendo tú mi trasunto, serás cuerda.
Eres bella. ¿Qué dije? Eres divina,   75
como lo fue tu madre doña Evina.

MAGDALENA

Gracias, padre y señor.

NUÑO

Modestia aparte.
Sabes latín, un poco de cocina,
e igual puedes dorar una lubina
que discutir de ciencias y aun de arte.   80
Tu dote es colosal, cual mi fortuna,
y es tan alta tu cuna,
es nuestra estirpe de tan alta rama,
que esto grabé en mi torre de Porcuna:
«La cuna de los Manso de Jarama,   85
a fuerza de ser alta, cual ninguna,
más que cuna dijérase que es cama.»

MAGDALENA

(Atajándole nerviosamente.)
¿Y con quién mi boda, padre, has concertado?

NUÑO

Con un caballero gentil y educado
que es Duque y privado del Rey mi señor.   90

MAGDALENA

¿El Duque de Toro?...

NUÑO

Lo has adivinado.
El Duque de Toro, don Pero Collado,
que ha querido hacernos con su amor, honor.

---

[78] «Sabes latín». Probablemente en el sentido de «eres muy avispada».

MAGDALENA

¿Y te habló don Pero?...

NUÑO

           Y don Pero hablóme
y afable y rendido tu mano pidióme,   95
y yo que era suya al fin contestelle;
y él agradecido besóme, abrazóme,
y al ver el agrado con que yo mirelle
en la mano diestra cuatro besos [a] diome;
y luego me dijo con voz embargada: 100
Dígale, don Nuño, que presto mi espada
rendiré ante ella, que presto iré a vella,
que presto la boda será celebrada
para que termine presto mi querella...
(Levantándose.)
Conque, Magdalena, tu suerte está echada,   105
mi palabra dada y mi honor en ella;
serás muy en breve duquesa y privada;
no puedes quejarte de tu buena estrella.

MAGDALENA

Gracias, padre, gracias.

NUÑO

          Noto tu alegría.

MAGDALENA

Haré lo que ordenas.

NUÑO

          De tu amor lo espero.   110

---

[a] «otro beso».

MAGDALENA

Puesto que lo quieres, seré de don Pero.

NUÑO

Serás de don Pero.
(La besa.)
                    Adiós, hija mía.
(Se va por la puerta de la derecha.)

MAGDALENA

*(Aterrada, dejándose caer sin fuerzas en una silla, di-
    go sin fuerzas, porque si se deja caer con fuerzas
    puede hacerse daño.)*
¡Ya escuchaste lo que dijo!...

RAMÍREZ

Claro está que lo escuché,
sólo a fuerza de fuerzas   115
me he podido contener,
que tal temblor dio a mi cuerpo,
tal hormiguillo a mis pies,
que no sé cómo don Nuño
no lo advirtió, no lo sé.   120
¡Casarte tú con el Duque
siendo amante del Marqués!...
¡Ser esposa de don Pero
la que de don Mendo es!...
¡Si el Marqués lo sabe!...

MAGDALENA

                    ¡Calla!   125

RAMÍREZ

¡Si el Duque se entera!...

MAGDALENA

¡Bien!

RAMÍREZ

¡Si al Conde le dicen!...

MAGDALENA

¡Cielos!

RAMÍREZ

¡Y si tú lo ocultas!...

MAGDALENA

(Nerviosa, cargada.)
                    ¡Eh!
¡Basta ya, doña Ramírez!
¿No ves que sufro? ¡Rediez!   130

RAMÍREZ

Muda seré si lo ordenas.
Si lo mandas, callaré;
pero ante Dios sólo puedes
casarte con el Marqués,
porque al Marqués entregaste   135
tu voluntad y tu fe;
porque te pasas las noches
en tierno idilio con él;
porque esa escala maldita
le arrojastes una vez   140
sólo por darle una mano
y él se ha tomado los pies.
(A un gesto de MAGDALENA.)

141-2 Trastrueque del refrán «Dar el pie y tomarse la mano».

No te ofendas, Magdalena,
mas yo sé, porque lo sé,
que la mujer que recibe   145
en su castillo a un doncel,
con él se casa, o no tiene
todo lo que hay que tener.

MAGDALENA

Me insultas, doña Ramírez.
No sé cómo en mi altivez   150
me contengo.

RAMÍREZ

     Reflexiona
que lo digo por tu bien.

MAGDALENA

¡Pero si ya no le amo;
si ya no tengo en él fe;
si es de mi padre enemigo!...   155
¡Si no sé por qué le amé!

RAMÍREZ

Él te idolatra.

MAGDALENA

     ¿Qué importa?
¿Qué puedo esperar de él,
si carece de fortuna
y no es amigo ᣗdel Rey?   160
No, doña Ramírez, nunca;

147-8 «no tiene / todo lo que hay que tener». Eco de las palabras de
Susana, refiriéndose a don Hilarión, «Un sujeto que tiene vergüenza,
/ pundonor y lo que hay que tener», en *La verbena de La Paloma*.

no me conviene el Marqués.
Quiero triunfar en la corte,
quiero brillar, quiero ser
algo que mucho ambiciono.   165
¡Quiero serlo y lo seré!

RAMÍREZ

¿Pero y don Mendo, señora?

MAGDALENA

Yo sabré librarme de él.

RAMÍREZ

¿Y si don Pero se entera
de aqueste engaño?

MAGDALENA

      ¿Por quién?   170

RAMÍREZ

¿Y si don Nuño?...

MAGDALENA

      Mi padre
dio su palabra anteayer
al de Toro, y yo por fuerza
le tengo que obedecer.
(Suena dentro un laúd[a] *que toca el conocido cuplé*
   de El Relicario.)

RAMÍREZ

Entonces...

---

[a] *Om.:*«que toca el conocido cuplé de El Relicario».

MAGDALENA

¡Calla!
(Escucha.)

RAMÍREZ

¡Dios mío!   175
¡Esa música!...

MAGDALENA

¡El Marqués!
Arroja presto la escala.
Déjame a solas con él.
(Se sienta pensativa. DOÑA RAMÍREZ *abre una de las*
  puertas del foro, se asoma a la terraza y arroja una
  escala.)
Quisiera amarle y no puedo.
Fue mi amor una mentira,   180
porque no es amor, es miedo
lo que don Mendo me inspira.

RAMÍREZ

(Haciendo mutis por la galería de la izquierda.)
Pues lo mandan, es razón
que sea muda, ciega y sorda,
pero me da el corazón   185
que aquí se va a armar la gorda.
(Vase. Por la puerta del foro que deja abierta DOÑA
  RAMÍREZ, *entra en escena* DON MENDO, *apuesto*
  caballero como de treinta años, bien vestido y me-
  jor armado.)

---

175 «El relicario» era un conocido cuplé contemporáneo, del maestro Padilla, popularizado por Raquel Meller.

MAGDALENA

(Yendo hacia él y cayendo en sus brazos.)
¡Don Mendo!

MENDO

(Declamando tristemente.)
                    ¡Magdalena!
Hoy no vengo a tu lado
cual otras noches, loco, apasionado...
porque hoy traigo una pena   190
que a mi pecho destroza, Magdalena.

MAGDALENA

¿Tú triste? ¿Tú apenado? ¿Tú sufriendo?
¿Pero qué estoy oyendo?
Relátame tus cuitas, ¡oh, don Mendo!
(Ofreciéndole una dura banqueta, bastante incó-
moda.)
Acomódate aquí.

MENDO

                    Preferiría   195
aquel, de cuero, blando catrecillo [a],
pues del arzón, sin duda, vida mía,
tengo no sé si un grano o un barrillo.

MAGDALENA

¡Y has venido sufriendo!

MENDO

                    ¡Mucho!... ¡Mucho!

---

[a] *T.:* «ese catre de cuero a las banquetas».

¿Cómo no quieres, di, que te idolatre?   200
Apóyate en mi brazo, ocupa el catre
y cuéntame tu mal, que ya te escucho.
(Ocupa DON MENDO *un catrecillo de cuero y* MAG-
   DALENA *se arrodilla a su lado. Pausa.)*
Ha un rato que te espero, Mendo amado,
¿por qué restas callado?

MENDO

No resto, no; es que lucho,   205
pero ya mi mutismo ha terminado;
vine a desembuchar y desembucho.
Voy a contarte, amor mío,
una historia infortunada:
la historia de una velada   210
en el castillo sombrío
del Marqués de la Moncada.
Ayer... ¡triste día el de ayer!...
Antes del anochecer
y en mi alazán caballero   215
iba yo con mi escudero
por el parque de Alcover,
cuando cerca de la cerca
que pone fin a la alberca
de los predios de Albornoz,   220
me llamó en alto una voz,
una voz que insistió terca.
Hice en seco una parada,
volví el rostro, y la voz era
del Marqués de la Moncada,   225
que con otro camarada
estaba al pie de una higuera.

---

205 «No resto». Equívoco, el verbo significa a la vez «restar» y
«permanecer».

MAGDALENA

¿Quién era el otro?

MENDO

El Barón
de Vedia, un aragonés
antipático y zumbón   230
que está en casa del Marqués
de huésped o de gorrón.
Hablamos... ¿Y vos que hacéis?...
Aburrirme... Y el de Vedia
dijo: No os aburriréis;   235
os propongo, si queréis,
jugar a las siete y media.

MAGDALENA

¿Y por qué marcó esa hora
tan rara? Pudo ser luego...

MENDO

Es que tu inocencia ignora   240
que a más de una hora, señora,
las siete y media es un juego.

MAGDALENA

¿Un juego?

MENDO

Y un juego vil
que no hay que jugarle a ciegas,
pues juegas cien veces, mil...   245
y de las mil, ves febril
que o te pasas o no llegas.
Y el no llegar da dolor,
pues indica que mal tasas

y eres del otro deudor.   250
Mas ¡ay de ti si te pasas!
¡Si te pasas es peor!

MAGDALENA

¿Y tú... don Mendo?

MENDO

        Serena
escúchame, Magdalena,
porque no fui yo... ¡no fui!   255
Fue el maldito cariñena
que se apoderó de mí.
Entre un vaso y otro vaso
el Barón las cartas dio;
yo vi un cinco, y dije «paso»,   260
el Marqués creyó otro el caso,
pidió carta... y se pasó.
El Barón dijo «plantado»;
el corazón me dio un brinco;
descubrió el naipe tapado   265
y era un seis, el mío era un cinco;
el Barón había ganado.
Otra y otra vez jugué,
pero nada conseguí,
quince veces me pasé,   270
y una vez que me planté
volví mi naipe... y perdí.
Ya mi peculio en un brete
al fin me da Vedia un siete;
le pido naipe al de Vedia,   275
y Vedia pone una media
sobre el mugriento tapete.
Mas otro siete él tenía

---

²⁵⁶ «cariñena». Vino de ese pueblo aragonés. Hoy en día se vende en
España un cariñena marca «Don Mendo».

76

y también naipe pidió...
y negra suerte la mía,   280
que siete y media cantó
y me ganó en la porfía...
Mil dineros se llevó,
¡por vida de Satanás!
Y más tarde... ¡qué sé yo!   285
de boquilla se jugó,
y me ganó diez mil más.
¿Te haces cargo, di, amor mío?
¿Te haces cargo de mis males?
¿Ves ya por qué no sonrío?   290
¿Comprendes por qué este río
brota de mis lagrimales?
(Se seca una lágrima de cada ojo.)
Yo mal no quedo, ¡no quedo!
¡Quien diga que yo un borrón
eché a mi grey que alce el dedo!...   295
Y como pagar no puedo
los dineros [a] al Barón,
para acabar de sufrir
he decidido... partir
a otras tierras, a otro abrigo.   300

MAGDALENA

(Ocultando su alegría.) [b]
¿Qué me dices?... ¿Vas a huir?

MENDO

Voy a huir, pero contigo.

MAGDALENA

¿Perdiste el juicio?

---

[a] *T.:* «escudos».

[b] *Om.:* «(Ocultando su alegría)».

286 «jugar de boquilla»: jugar sin tener dinero.

MENDO

No tal.
Resuelto está, vive Dios.
Y si te parece mal,   305
aquí mesmo, este puñal,
(Saca un puñal enorme.)
nos dará muerte a los dos.
Primero lo hundiré en ti,
y te daré muerte, sí,
¡lo juro por Belcebú!,   310
y luego tú misma, tú,
hundes el acero en mí.

MAGDALENA

(Ocultando su miedo.)
Es que tú puedes pagar
con algo... que alguien te preste...
y luego para medrar   315
puedes partir con la hueste
que organiza [a] el de Melgar.
Y yo aquí te aguardaría
y al Conde prepararía,
y al volver de tu cruzada   320
nuestra unión sancionaría [b].

MENDO

¡Calla!

MAGDALENA

¡Sí!... ¿Qué piensas?

---

   [a] *T.:* «de don Cayo el de Melgar».

   [b] *T.:* «bendeciría».

   312 Situación dramática convertida en cómica por el tamaño exagerado del puñal y por exigir don Mendo que Magdalena le mate después de haber muerto ella.

MENDO

¡Nada!

MAGDALENA

¡Salvado, don Mendo, estás! [a]
Pagas las deudas [b], te vas,
luchas, vences, y al regreso   325
loca de amor me hallarás
aquí.

MENDO

¡Nunca!... ¡Nunca!...

MAGDALENA

¿Y eso?

MENDO

Porque... ¿cómo a pagar voy?

MAGDALENA

¿Cómo?
(Se dirige a un mueble y saca un estuche de orfebrería.)
    Si ya tuya soy
y lo mío tuyo es...   330
(Le da el estuche.)
este collar que te doy
has de aceptarlo, Marqués.

MENDO

¡Dios santo!

_____

[a] «¡Salvado! ¡Salvado estás!».
[b] «la deuda».

MAGDALENA

Ve mi intención,
de rodillas te lo ruego,
véndelo, paga al Barón,   335
tu honor salva, y parte luego
a unirte al rey de Aragón[a].

MENDO

(Dudando.)
Es que...

MAGDALENA

Todo está arreglado.

MENDO

Pero mi honor...

MAGDALENA

No comprendo...

MENDO

Temo que algún deslenguado   340
lo sepa, y diga: don Mendo
es un vil y un desahogado,
que sin pizca de aprensión
aprovechó una ocasión
que él creyó propicia y obvia   345
y pagó a cierto Barón
con alhajas de su nobvia[b].
Y me anulo y me atribulo

---

[a] *T.:* «Mendo de mi corazón».
[b] «novia».
[347] «nobvia». Deformación intencionada de la palabra para hacer
más evidente el ripio.

80

y mi horror no disimulo,
pues aunque el nombre te asombre   350
quien obra así tiene un nombre,
y ese nombre es el de... chulo

MAGDALENA

¡Basta, don Mendo!

MENDO

¡No!... ¡No!...

MAGDALENA

(Trágica.)
¡O aceptas ese collar
que mi mano te donó,   355
o tú no me has de matar,
pues he de matarme yo!
(Ruido de espadas que chocan dentro.)

MENDO

¡Calla!

MAGDALENA

¿Qué es eso?... ¡Dios santo!...

MENDO

Al pie de este torreón
alguien riñe con tesón...   360

RAMÍREZ

(Entrando en escena asustadísima.)
¡Ay, Magdalena! ¡Qué espanto!...

MENDO

¿Qué ocurre?

RAMÍREZ

(A MAGDALENA.*)*
      ¡Salva tu honor!
Un rufián o un caballero
a vuestro fiel escudero
ha puesto en fuga.

MAGDALENA

      ¡Qué horror!   365

RAMÍREZ

¡Y diciendo no sé qué
por la escala está subiendo!

MAGDALENA

¡Tú tienes mi honor, don Mendo!

MENDO

Pues ten en mi espada fe.
Y de ese honor al conjuro,   370
juro que morir prefiero
a delatarte; lo juro
por mi fe de caballero.
(Se van por la izquierda DOÑA RAMÍREZ *y* MAGDA-
   LENA. *Pausa,* DON MENDO *desenvaina su espada y
   se emboza.)* [a]
¡Por vida!... Si hay que luchar
y lucha habrá, si hay quien luche   375
puede estorbarme el estuche...
el estuche del collar.

---

   [a] «si tiene capa o se cala la visera si tiene casco».

(Arroja el estuche al suelo y se cuelga el collar del brazo.)
(Por el fondo, y también embozado [a], entra DON PERO, *por una de las ventanas, y se detiene al ver a* DON MENDO*.)*
¿Quién se acerca inoportuno?

PERO

¡Uno!

MENDO

¿Sabe qué suerte le cabe? [b]   380

PERO

¡Qué sabe!
(Saca la espada.) [c]

MENDO

¿Y qué le impulsó a subir?

PERO

¡Reñir!

MENDO

¿Dijo reñir o morir?

PERO

Reñir y matar si cabe,   385
que entró por ese arquitrabe
uno que sabe reñir.

---

[a] «o calado».
[b] «(Saca la espada)».
[c] «(También)».
386 Uso caprichoso del término arquitectónico «arquitrabe» que

MENDO

Morirás, ¡rayos y truenos!

PERO

Menos.

MENDO

Que mi espada vidas roba.   390

PERO

¡Coba!

MENDO

¿Eres juglar o escudero?

PERO

¡Caballero!

MENDO

Entonces con más esmero.

PERO

Pues vamos presto a reñir,   395
que no os[a] tenga que decir
menos coba, caballero.

MENDO

Decid cuál es vuestro nombre.

___

rima con «cabe» pero que nada tiene que ver con la ventana por la que
entra don Pero.

[a] *Om.:* «os».

PERO

¿Mi nombre queréis? ¡Pardiez!
Pues... un hombre.   400

MENDO

¿Sólo un hombre?

PERO

Uno que vale por diez.

MENDO

¡Vive el cielo!... ¡Venga el duelo!...

PERO

¡Vive Dios!... ¡Aunque sean dos!...

MENDO

Habéis de medir el suelo.   405

PERO

Habéis de medirlo vos.

MENDO

¡Por mi dama! ¡Vive el cielo!...

PERO

¡Por mi dama! ¡Vive Dios!...
(Cruzan las espadas y se acometen fieramente. Dentro gritan pidiendo socorro MAGDALENA *y* DOÑA RAMÍREZ.*)*

MENDO

(Haciendo alto y mirando hacia ambos laterales teme-
rosamente.)
(Voces, ayes, luces, ruido...   410
Si me ven, está perdida
y yo con ella perdido...
Hay que buscar la salida...)
¡Paso franco!

PERO

(Gritando.)
          ¡Ah de la casa!

MENDO

¡Paso!

PERO

Lo impide mi acero.

MENDO

¡Paso digo, caballero!...   415

PERO

Yo digo que no se pasa.

MENDO

¡Por favor!...

PERO

          ¡No hay compasión!
No salís, lo he decidido.

MENDO

(Desesperado.)
(¡Y vienen!... ¡Sí! ¡Estoy perdido!)   420
Paso.

PERO

¡Nunca!

MENDO

¡Maldición!
(Se emboza y queda con la espada desnuda en el cen-
tro de la escena. En el foro, también embozado y
espadi-desnudo, queda DON PERO. *Por las distin-*
tas puertas y galerías entran todos los personajes
que había en escena al comenzar el acto. Vienen
muchos de ellos con armas y otros con hachones en-
cendidos. MAGDALENA *se presenta con el pelo*
suelto, como si se acabara de levantar, y sostenida
por DOÑA RAMÍREZ.)

LORENZANA

¿Quién llama?

ALDANA

¿Quién grita?

OLIVA

¿Qué ocurre?

NINÓN

¡Dios santo!

BERTOLDINO

¿Qué es esto?   425

¡Dos hombres
espadas en mano!...

LORENZANA

¡Dos hombres!...

RAMÍREZ

¡Qué espanto!

NINÓN

¡Qué miedo!   430

MAGDALENA

¡Qué horror!

BERTOLDINO

(Por DON NUÑO.*)*
¡El Conde!

NUÑO

(Entrando en escena con la espada desnuda.) [a]
      ¡Silencio!
¡Atrás todo el mundo!
Que sólo a mí toca   435
defender mi honor.
(Avanzando sublime.)
Aunque anciano, matar a los dos puedo,
que cuando empuño la tajante espada,
ni nadie supo resistir, ni nada
logró borrar la máxima sagrada   440
que hice grabar en su hoja de Toledo.
«Viva mi dueño», dice como un grito.

---

[a] *Om.:* la acotación.

«Viva su madre», añádese en el puño;
y yo ambos gritos con valor repito,
que está para cumplir lo en ella escrito   445
el brazo de granito de don Nuño.
¡Presto!... ¡Fuera el embozo!... ¡Presto fuera!
¡Explicad por qué estáis en mi castillo!...
¿Quién sois? ¿A qué venís?

PERO

(Desembozándose y avanzando un paso altaneramente.)
                    Es muy sencillo.

TODOS

El de Toro.

NUÑO

   ¡Gran Dios!

MAGDALENA

(A DOÑA RAMÍREZ.)
                    ¡El Duque era!   450

NUÑO

Un rayo que a mis plantas cayese de la altura...
un sol que a media noche luciera en la negrura...
un cuervo que trocase su negror en albura...
extrañáranme menos que esta loca aventura.
¡El de Toro en mi casa de tan rara manera!...   455
Ocultas por el manto la faz y la cimera...
con la espada desnuda y la voz altanera...
violando mi castillo, mi honor y mi bandera.

---

443 Degradación; estos lemas suelen aparecer en las navajas o en ja-
rros para el vino.

PERO

Tu honor, nunca, don Nuño, porque tu honor es mío,
y por serlo, don Nuño, vine a tu señorío,   460
y te juro, don Nuño, que no vine en baldío.

NUÑO

                                        No entiendo.

PERO

Pues yo mesmo te explicaré este lío.
Al despuntar el día
y en unión de mi paje Ginesillo,
dejé la Corte y vine a tu castillo,   465
para ver a su dueña, y dueña mía,
cuya regia hermosura me enamora.
Llegué de noche, mas llegué en buena hora,
porque cuando a llamar me disponía
vi una escala de cuerda que pendía   470
de esa terraza, y que a sus pies estaba
un hombre que a la escala defendía[a].
Quise saber lo que aquel hombre hacía
y quién era el doncel que aquí se hallaba,
y a quién la escala, ¡vive Dios!, servía   475
y qué mano la echaba
y qué mano después la recogía[b].
Que ya que aquí moraba
la dama que el amor me destinaba,
era muy justo hacer lo que pensaba   480
y muy justo saber lo que quería.
Puse en fuga al follón que me estorbaba,

---

[a] *T.:* «un hombre que sin duda la guardaba».
[b] *T.:* «y a quien amaba / el que por ella entraba /
y qué mujer aquí le recibía».
482 «follón» = cobarde, ruin.

subí y entré, y en esta estancia había
un hombre, y cuando yo con él reñía
llegasteis... y eso es todo. Agora espero   485
que me digáis con claridad de día
qué aguarda y qué hace aquí tal caballero.

NUÑO

(A DON MENDO.*)*
¡Hablad!
*(*DON MENDO *ni le mira.)*
    ¿Calla?...
(Terriblemente.)
           ¡¡Magdalena!!
¡Esa escala en una almena!...

MAGDALENA

¡Padre!... ¿Qué piensas de mí?   490

NUÑO

¿Eres inocente?

MAGDALENA

(Con grandísima energía.)
        ¡¡Sí!!
¡Pura como la azucena!
Tu mesmo has de verlo aquí,
en mis ojos, clara luna,
en donde tú siempre lees.   495

NUÑO

(Amenazador.)
Entonces... voy a armar una
de las de no te menees.
(Muy enérgico.)
¡A ver, pronto! ¿Quién la escala
a este embozado arrojó?

MENDO

Yo mesmo.

NUÑO

¿Qué dices?

MENDO

¡Yo!   500

NUÑO

No es posible.

MENDO

Nadie iguala
mi destreza en el trepar
para una torre invadir.
Excusaos de preguntar:
yo la eché para bajar,   505
no la usé para subir.
Por las grietas del torreón
trepé cual una raposa,
que eso en mí, Conde, no es cosa
que llame ya la atención;   510
pero como en el descenso
suele más peligro haber,
y yo cuando subo, pienso,
que tengo que descender,
llevo siempre a previsión   515
una escala de garduño,
y esa es la escala, don Nuño,
que pende del torreón.

---

516 «garduño» = ratero.

NUÑO

¿Y a qué subisteis?

MENDO

Señor...

NUÑO

No acabo de imaginar.   520
¿Fue el amor?...

MENDO

No fue el amor.

NUÑO

Entonces...

MENDO

Subí a robar.
(Asombro en todos.)

NUÑO

¡Miserable!... ¡Presto, a él!...

MENDO

¡Quietos!... Infeliz de aquel
que intentare, ¡ay, Dios!, llegar   525
a don Mendo Salazar [a]
y Bernáldez de Montiel.
(Se desemboza.)

NUÑO

¿Ladrón vos, don Mendo? ¿Vos?

_____

[a] *T.:* «de Pomar».

RAMÍREZ

(Aparte a MAGDALENA.)
Por salvarnos a las dos
ya ves, su infortunio labra.   530

MENDO

(De salvarla di palabra,
y la cumplo, vive Dios.)

NUÑO

Un Marqués cual vos, ¡qué afrenta!
¿Cuándo viose acción tan doble? [a]

MENDO

Nunca ha de faltar un noble   535
que robe más de la cuenta.

NUÑO

¿Pero vos?...

MENDO

          Y a fuer de honrado,
antes de rendir la espada
que mi delito ha manchado,
quiero confesar, que nada   540
de amor hame aquí arrastrado.

PERO

¡No! ¡No!... ¡Nunca lo creeré!

LORENZANA

Ni yo.

---

[a] *T.:* «¿Dónde se vio aquesto, dónde?».

MAGDALENA

¿Qué decís?

PERO

¡No sé!
Permitid que en creerlo luche.

MAGDALENA

(Recogiendo del suelo el estuche que tiró DON MEN-
DO.)
Mirad... hay aquí un estuche.   545

NUÑO

El de tu collar.

MAGDALENA

¡Sí!

PERO

¿Eh?

MENDO

Como tan poco valía
no lo quise para mí.

MENDO

¿Pero y el collar?

MENDO

(Enseñándolo.)
                   ¡Aquí!

PERO

¡Era verdad!

NUÑO

¡Lo tenía!   550

MENDO

Tomadlo, y perdón, señora,
si os lo quise arrebatar.
(Le da el collar.)

MAGDALENA

(A PERO.)
¿Estáis convencido ahora
de que vino aquí a robar?

PERO

Convencido y dolorido   555
de haber dudado de vos,
y os pido en nombre de Dios
para mi crimen olvido.
Pronto mi esposa os haré
como ya está concertado.   560
¿Me perdonáis?

MAGDALENA

¡Perdonado!

MENDO

(¡Santo cielo! ¿Qué escuché?
Ella su esposa. ¡Su esposa!...
Si tal es verdad, estimo [a]

_____
[a] «Si tal es cierto, imagino».

96

que salvándola hice el primo   565
de una manera espantosa.
Pronto he de saberlo, sí,
que he de preguntarle yo
y he de arrancarle...
(Conteniéndose.)
             Mas ¡oh!
¿Y la palabra que di?)   570

NUÑO

Presto, tomadle la espada
y a un calabozo sombrío
llevadle.

PERO

(Rendidamente a MAGDALENA.*)*
        ¡Prenda adorada!

MAGDALENA

(Idem.)
¡Don Pero!... ¡Don Pero mío!...

MENDO

(Enloquecido.)
(¡Ah! ¡No! ¡Mi venda cayó!   575
¡He de confesarlo aquí!...
(Conteniéndose de nuevo.)
¡Pero no es posible, no!
¡Dios santo! ¿Qué iba a hacer yo?
¿Y la palabra que di?)

NUÑO

Sujetadle.

MENDO

¡Atrás, follones!   580
Que sólo así un caballero
puede entregar el acero
que combatió en cien acciones.
(Rompe la espada y arroja los pedazos al suelo.)

NUÑO

¡Vive Dios, que tal pujanza
ni tal orgullo comprendo!   585

MENDO

(Sujeto ya fuertemente por LORENZANA, ALDANA *y*
    OLIVA.)
¡Venganza, cielos, venganza!
(Mirando al cielo.)
Juro, y al jurar te ofrendo,
que los siglos en su atruendo
habrán de mí una enseñanza
pues dejará perduranza   590
la venganza de don Mendo.   591
(Cae desmayada MAGDALENA. *Inician el mutis los
    que conducen a* DON MENDO, *y cae el telón.)*

FIN DE LA JORNADA PRIMERA

---

588 Propia de la deformación intencionada del lenguaje con fines humorísticos que hacía Muñoz Seca, era la invención caprichosa de neologismos, algunos absurdamente derivados. Suelen ir al final del verso para
dar lugar a rimas cómicamente forzadas. Aquí, «atruendo» sugiere que
el recuerdo de la venganza resonará por muchos siglos.
590 «perduranza» = memoria eterna.

JORNADA SEGUNDA [a]

Interior de la torre abovedada que sirve de prisión a don Mendo. Una claraboya en el foro, cerca del techo, y una puerta en el lateral izquierda. Al levantarse el telón amanece.

(Está en escena DON MENDO, recostado sobre un mal camastro. No hay en escena más muebles que el susodicho camastro, y un par de taburetes toscos.)

MENDO

(Incorporándose, restregándose los ojos y mirando a la claraboya.)
Ya amanece. Por esa claraboya   1
las luces del crepúsculo atalayo:

---

pronto entrará del sol el puro rayo
que a las sombras arrolla
y en bien éstas convierte mi desmayo...   5
(Por la claraboya entra triunfante un rayo de sol.)
¡Sí! *(Levantándose.)*
    ¡Ya el rayo destella!...
¡Ya mi prisión se enjoya de luz bella!...
¡Ya soy dueño de mí!... ¡Ya bien me hallo!...
(Canta un gallo dentro, lejos.)
¡Ya trina el ruiseñor!... ¡Ya canta el gallo!...
(Pausa.)
¡Trece de Mayo ya!... ¡Quién lo diría!   10
Llevo en esta prisión un mes y un día,
sin por nadie saber lo que acontece...
(Estremeciéndose.)
¡Y hoy es martes, gran Dios!... ¡Martes y trece!...
¿Por qué el terror invade el alma mía?
¿Por qué me inspira un miedo extraordinario   15
esa cifra, ¡ay de mí!, del calendario?
(Como loco.)
¡Ah, no, cifra fatal!... No humillaréis
el valor de don Mendo; no podréis;
todos iguales para mi seréis...
¡Trece, catorce, quince y diez y seis!...   20
(Pausa.)
¿Moriré sin venganza? ¡Cielos! ¡Nunca!
Ha de morir la que mi vida trunca
y morirá a mis manos... Mas, ¿qué exclamo?
¿Cómo podré matalla si aún la amo?
Acaso por salvarse aquella noche   25
aceptó del de Toro sin reproche
el amor y la fe y el galanteo...
Mas aquel «Pero mío», aquel sobeo
delante de mi faz, estuvo feo;
porque él llegó a palpalla,   30
que yo lo vi con estos ojos, ¡ay!
y ella debió oponerse, ¡qué caray!,
al ver lo que yo hacía por salvalla.

(Escuchando hacia la derecha.)
Oigo pasos. Acaso
es Magdalena que en amor se abrasa   35
o el carcelero vil, que con retraso
tráeme el bollo de pan que él mismo amasa...
(Viendo que la puerta se abre y aparece en el dintel
    CLODULFO, *viejo mal encarado y cetrino, que trae*
    un gran pan y un cántaro.)
Es el vil carcelero.

CLODULFO

¿Paso?

MENDO

(Desalentado.)
Pasa.
*(*CLODULFO *deja en escena el pan y el cántaro y se*
    dispone a hacer mutis.)
¿Hoy también viejo Clodulfo
habrás de guardar silencio?   40
¿Hoy tampoco mis preguntas
habrán en tus labios eco?
¿Cuándo saldré de esta torre?
¿Pronto o tarde? ¿Vivo o muerto?
¿No sabré tampoco hoy   45
lo que con ansias espero?

CLODULFO

Hoy lo sabrás.

MENDO

¿Por fin hablas?

CLODULFO

Hablo ya, porque hablar puedo,

que hoy de gala está el castillo
y hoy es día grande, don Mendo.   50

MENDO

¿Día grande?

CLODULFO

    Más brilla el sol
hoy que ayer, aun siendo el mesmo.

MENDO

¿Pues qué ocurre?

CLODULFO

    Que el privado
del Rey don Alfonso séptimo,
el noble duque de Toro   55
y conde de Recovedo,
señor de catorce villas,
seis castillos y un convento,
a las nueve ha de casarse
con Magdalena...
(Al ver que DON MENDO *medio se desvanece.)*
        ¡Don Mendo!...   60
(Acude a él y le sujeta.)
¿Qué mal os dio que os pusisteis
pálido y convulso y trémulo?...

MENDO

(Reponiéndose y después de una breve pausa.)
Nada, Clodulfo, un vahído,
un malestar, un mareo,
una locura, un repente,   65
una turbación, un vértigo...

Mas ya pasó, por ventura.

CLODULFO

Yo creo que estáis neurasténico.

MENDO

Tal vez; ¡ay de mi! Mas sigue,
viejo Clodulfo. Ha un momento   70
decías...

CLODULFO

   Que Magdalena
hoy se casa con don Pero
y está don Nuño gozoso
y galas del gozo haciendo
ha mandado que las puertas   75
queden francas a sus deudos;
y que la despensa se abra
y que corra el vino añejo,
y que en la más alta torre
luzca el pendón de su abuelo,   80
que no hay un pendón más grande,
ni más noble, ni más viejo.
Colgada está ya la iglesia;
en fiestas arde ya el pueblo;
y los tres primos del Conde,   85
don Juan, don Tirso y don Crespo,
llegaron esta mañana
desde Pravia, con su séquito.

---

68 «neurasténico». Entre los anacronismos deliberados en *Don Mendo,* tan frecuentes, está el atribuir dolencias modernas a estos personajes del siglo XII.

80-81 «pendón»: persona de vida licenciosa.

83 «colgada» = llena de colgaduras.

104

MENDO

(Dejándose caer, abatido, en el camastro.)
¡Que ella se casa!... ¡¡Se casa!!...
¡Y yo en esta torre preso,   90
haciendo el primo!... ¿Qué dije?
El primo es poco... ¡el canelo!...
¡Martes y trece, por algo
os tomé aborrecimiento!...

CLODULFO

¿Qué os sucede?...

MENDO

Nada, nada...   95

CLODULFO

¿Es que teméis?...

MENDO

¡Nada temo!

CLODULFO

Pensé que..

MENDO

(Altivo.)
Pensaste mal.

CLODULFO

Os vi temblar...

MENDO

¡Yo no tiemblo!
Nada en la vida, Clodulfo
hizo temblar a don Mendo.   100

CLODULFO

Perdonad, Marqués de Cabra
si mis frases os hirieron...

MENDO

Perdonado estás, Clodulfo,
y agora, si no es secreto,
dime qué suerte me espera   105
y dilo sin titubeos,
bueno o malo, lo que fuere,
¡Qué me importa, vive el cielo!
Cuando hace un rato, ¡ay de mí!
no rodé a tus plantas muerto,   110
es que un rayo no me mata.
Habla, por Dios, habla presto.

CLODULFO

¿Tendréis valor?...

MENDO

(Altivísimo.)
                  ¿Olvidaste
que te escucha un caballero?

CLODULFO

Pues bien, el Conde don Nuño   115
vuestra prosapia atendiendo,
pensó sacaros los ojos
y daros libertad luego:
pero terció Magdalena...

¡Magdalena!... ¡Blando pecho   120
que envidia diera a las aves!...
¡Corazón de suaves pétalos!...
¡Alma pura, cual la linfa
del trasparente arroyuelo!...
¡Magdalena!... ¡Magdalena!...   125
¡Ave, rosa, luz, espejo,
rayo, linfa, luna, fuente,
ángel, joya, vida, cielo!...
¿Y dices que ella terció?...

CLODULFO

Terció y os hizo mal tercio,   130
porque pidió que la lengua
os arrancasen primero
y que os cortasen las manos
y que mudo, manco y ciego
en esta torre quedaseis   135
para siempre prisionero.

MENDO

¡¡Mientes!!

CLODULFO

¡No!

MENDO

¡Mientes te digo!
¡Infame sayón!

---

[130] Fin del *quid pro quo;* Magdalena intervino para pedir peores castigos que impidieran a don Mendo comunicar su secreto.
[138] «sayón» = esbirro.

CLODULFO

(Amenazador.)
                    ¡Don Mendo!...

MONCADA

(Entrando en escena.)
¡Vive Dios, que hasta en prisiones
y con vuestro carcelero   140
habéis de reñir!

MENDO

(Asombrado.)
                    ¡Moncada!
¿Pero sois vos?

MONCADA

            En efecto.

CLODULFO

(¡El de Moncada en la torre!...)

MONCADA

(A CLODULFO.*)*
Dejadnos, buen hombre.

CLODULFO

(Sin moverse.)
                    Eso...

MONCADA

(Imperioso.)
¡Dejadnos digo!

CLODULFO

(Resistiéndose.)
        Es que yo...   145

MONCADA

Si desenvaino el acero,
vais a quedar en la torre,
pero vive Dios, que muerto.

CLODULFO

(Temeroso.)
Pues que así lo suplicáis,
señor Marqués... obedezco.   150
(Se va, cerrando la puerta.)

MONCADA

Aunque cierre no me importa:
me abrirán mis escuderos.
(Este MARQUÉS DE MONCADA *es joven y apuestísimo.)*

MENDO

(Que aún no ha vuelto de su asombro.)
En vano pretendo, Marqués de Moncada,
hallar las razones que aquí os han traído.

MONCADA

¿No sois por ventura, mi buen camarada?   155

MENDO

¿Camarada vuestro quien ha delinquido?
Perpetrando un robo me vi sorprendido,
así plugo al cielo o al Hado... o al Hada,
y no creo Moncada, que ganéis vos nada,
siendo camarada de quien a su espada   160

ha infido, escupido, torcido y rompido.

MONCADA

(Sonriente.)
Mentís.

MENDO

¿Qué decís?

MONCADA

Mentís.
Y vos de vos os reís,
como yo me río de vos.

MENDO

No comprendo qué decís.   165

MONCADA

Será porque no querís
que está claro, ¡vive Dios!

MENDO

Siempre fuisteis enigmático
y epigramático y ático
y gramático y simbólico,   170
y aunque os escucho flemático
sabed que a mí lo hiperbólico
no me resulta simpático.
Habladme claro, Marqués,
que en esta cárcel sombría   175
cualquier claridad de día
consuelo y alivio es.

___
[161] «infido» = deshonrado.

Claro he de hablar, a fe mía.
Si vos fueseis un ladrón,
o por ladrón yo os tuviera,   180
juro a Dios, que os escupiera,
a la frente, con razón;
y en vez de en esta prisión
hallarme, cual ahora ve,
sin fe en vos ni en nadie fe,   185
a vuestra amistad y afeto
puesto hubiera con respeto
el consabido R. I. P.
Mas sé, Marqués... ¡lo sé yo!,
que en esta torre cautivo   190
está un caballero altivo
que nunca en robar soñó;
que si en un castillo entró,
no entró en él para robar
el aljófar de un collar   195
que aun valiendo es baladí,
si no que entró en él...

MENDO

(Imperioso.)
¡¡No!!

MONCADA

(Idem y achicándole.)
    ¡¡¡Sí!!!
Yo lo juro... ¡para amar!

MENDO

¡Miente quien tal cosa diga!

---

195 «aljófar» = perlas.

El que confeséis no espero,   200
pues sé que sois caballero
y a enmudecer os obliga
algo que os ata y que os liga.
pero, por casualidad,
sin traición a la lealtad   205
que tal cosa en mí ni cabe,
como todo al fin se sabe,
yo he sabido la verdad.

MENDO

(Irónico.)
¿Con la verdad disteis?

MONCADA

Di.

MENDO

¡Pues suerte tuvisteis!

MONCADA

¡Oh!   210

MENDO

¿Y si os engañaseis?

MONCADA

¡No!

MENDO

¿Estáis bien seguro?

MONCADA

¡Sí!

MENDO

¿Acaso visteis?...

MONCADA

¡Lo vi!

MENDO

¿Y sabéis que yo?...

MONCADA

¡Lo sé!

MENDO

¿Pero cómo?...

MONCADA

Os lo diré: 215
Mas por Dios tranquilizaos.

MENDO

Estoy tranquilo. Sentaos.

MONCADA

Muchas gracias.

MENDO

No hay de qué.
(Se sientan los dos. Pausa.)

Ha de antiguo la costumbre
mi padre, el Barón de Mies,   220
de descender de su cumbre
y cazar aves con lumbre:
ya sabéis vos cómo es.
En la noche más cerrada
se toma un farol de hierro   225
que tenga la luz tapada,
se coge una vieja espada
y una esquila o un cencerro,
a fin de que al avanzar
el cazador importuno   230
las aves oigan sonar
la esquila y puedan pensar
que es un animal vacuno;
y en medio de la penumbra
cuando al cabo se columbra   235
que está cerca el verderol,
se alumbra, se le deslumbra
con la lumbre del farol,
queda el ave temblorosa,
cautelosa, recelosa,   240
y entonces, sin embarazo,
se le atiza un estacazo,
se le mata, y a otra cosa.

MENDO

No es torpe, no, la invención;
mas un cazador de ley   245
no debe hacer tal acción,
pues oyendo el esquilón
toman las aves por buey
a vuestro padre el Barón.

Es verdad. No había caído...   250
Vuestra advertencia es muy justa
y os agradezco el cumplido.
¡El Barón, por buey tenido!...
No me gusta; no me gusta.

MENDO

¿Y a qué viene, ¡vive el cielo!,   255
cuando tan grande es mi duelo
esa conseja endiablada
del cencerro y de la espada
y del farol y del celo?

MONCADA

Viene, amigo, a que el Barón,   260
cierta noche que cazaba
con la luz y el esquilón,
vio una escala que colgaba
de no sé qué torreón.

MENDO

Acaso el Barón soñaba...   265

MONCADA

Y otra noche, vio algo más.

MENDO

¿Qué me decís, vive Dios?...

MONCADA

Que vio... soñando quizás
que echaron la escala... y zas,

---

253 Tenido por cornudo.

por ella bajasteis vos.   270
(DON MENDO *baja los ojos y se deja caer abatidí-*
    simo en su camastro.)
Y esto, don Mendo, tal vez
por alguien se ha comentado,
y al de Collado ha llegado,
y don Pero, que es un pez
está por vos escamado.   275
Y como al cabo no es bobo,
de Magdalena abomina
y lógicamente, opina
que la comedia del robo
sólo fue una pantomima.   280
Y ella, que anhela el sosiego
o que ve perder su juego
y en casarse tiene prisa,
quiere que quedéis ¡qué risa!
preso, mudo, manco y ciego.   285
Pero no será ¡no! ¡No!
Que aunque vos, Marqués de Cabra,
a ella le disteis palabra
de salvalla, hablaré yo.
Mas para hablar, sólo espero   290
vuestra indicación somera.

MENDO

¿Y es caballero el que espera
que no sea yo caballero?

MONCADA

¿Y es caballero, Marqués,
el que por una perjura   295
muere vilmente?

274-5 Equiv.: don Pero es listo y no se fía de don Mendo.

MENDO

       Lo es:
mi palabra os lo asegura,
y soy leonés.

MONCADA

       Basta, pues.
Y en premio de esa hidalguía
que en vos es norte y es guía;   300
en premio de ese valor,
tomad esta daga mía.
(Le da una daga.)
Os la da un hombre de honor.
Ponedla oculta y salvaos
si ocasión para ello habéis;   305
y si a la afrenta teméis
de una muerte vil, mataos,
porque es tan grande la insidia
la perfidia y la falsidia
del mundo, que casi envidio   310
al que apelando al suicidio
toma un arma y se suicida.

MENDO

(Abrazándole conmovido.)
¡Marqués de Moncada! ¡Hermano!
¡Permitid que os dé ese nombre!...

MONCADA

¿Os afectáis?

MENDO

       No os asombre   315
que este dolor sobrehumano

---

[309] «falsidia» = falsía.

117

en niño convierte a un hombre.
Gracias mil por el puñal:
gracias mil, porque mi mal
será por él menos cruel,   320
pues muy pronto, amigo fiel,
habré de hundírmelo en el
quinto espacio intercostal.
Y cuando os hablen de mí,
decid, Marqués, decid vos   325
que caballero morí,
pues una palabra di
y la cumplí, vive Dios.
(Se abrazan de nuevo.)

CLODULFO

(Entrando muy azorado y muy nervioso, a MON-
    CADA.)
    Salid, caballero,
salid a seguida   330
porque de no hacello
mi vida peligra.

MENDO

¿Qué ocurre?

MONCADA

¿Qué pasa?

CLODULFO

Nadie se lo explica

MENDO

Hablad.

_____

321-2 «fiel... / ...en él». Gracioso ejemplo de encabalgamiento voluntariamente torpe y de rima forzada.

Que la novia   335
ya estaba vestida
aguardando al Duque
y a su comitiva
y el Abad mitrado
calada la mitra   340
aguardando a entrambos
en la sacristía,
cuando de repente
las tropas avisan
que llega el de Toro;   345
y el de Toro arriba,
sin pajes, ni escoltas,
ni bandas, ni insignias.
Llega tembloroso;
pálido de ira;   350
echando venablos
y tacos y ristras,
y dice a la novia:
«¡Perjura!... ¡Maldita!...
¡Fuiste de don Mendo   355
la amante y la amiga;
y tú le idolatras
y por él suspiras;
lo sé, miserable,
de muy buena tinta!»...   360
¡Mientes! —grita ella.
¡Falso! —el Conde grita
y los tres Pravianos
rugiendo de ira,
al de Toro quieren   365
segarle la vida.
¡Callen todos!... dice
ella enfurecida.

---

352 «ristras» = ristras de ajos, maldiciones.

¿Quieres que te pruebe [a]
que aquesto es mentira?   370
—Si me lo probaras
yo me casaría.
Pues ven a la torre
que el cautivo habita,
ven a la su cárcel   375
y en su cárcel misma
yo sabré librarte
de tanta falsía.
Y ya suben todos
escalera arriba...   380

MONCADA

¡Valor, pobre amigo!
(Se abrazan.)

CLODULFO

Salid en seguida.

MENDO

¡Adiós! ¡Hasta nunca!

CLODULFO

¡Que ya se avecinan!

MONCADA

¿Hablaréis?

---

[a] Versos 371-80: «Yo abriré tus ojos
a la luz del día.
Si me los abrieres
yo me casaría.
Vamos a la torre,
sed, padre, mi guía,
que me sigan todos,
que el abad me siga».

Primero 385
me arranco la vida.
(Se van MONCADA *y* CLODULFO. DON MENDO *queda*
  alicaidísimo.)
¡Voy a verla! Sí. ¿Qué incoa
mi espíritu? Lo que incoe
ya mi cerebro corroe.
¿Mas qué importa que corroa? 390
¡Aspid que en mi pecho roe,
prosigue tu insana roa
que aunque soy digno de loa
no he de ser yo quien se loe!
¡Fuerzas, cielos, porque al vella 395
querré matalla y mordella
y eso sería delatalla!
¡Juro a Dios que he de miralla
y escuchalla sin vendella!
Mas si juré no perdella 400
también vengarme juré
en la infausta noche aquella.
Y he de vengarme; sí, a fe.
¿Mas qué haré, qué intentaré?
¿Cómo vengarme podré 405
si lo que juré, sé que
lacra mi boca y la sella?
¿Cómo, ¡ay Dios! compaginallo
si este desengaño ¡ah!
no puede dejarme ya 410
ni tiempo para pensallo?...
(Saca el puñal, lo besa y lo contempla con arrobo.)
¡Puñal de puño de aluño!...
¡Puñal de bruñido acero,
orgullo del puñalero
que te forjó y te dio bruño!... 415

---

412 «aluño» = ¿de aleación?
415 «bruño» = brillo.

Puñal que en mi mano empuño,
en cuyos finos estríes
hay escritas con rubíes
dos frases a cual más bella:
«Si hay que luchar, no te enfríes.   420
Si hay que matar... descabella.»
Tú con tu lengua me llamas
y deshaces mi congoja,
pues teniendo yo tu hoja
no he de andarme por las ramas.   425
Penetra, puñal, en mí,
llega pronto al corazón
y a quien te pregunte, di
que a pesar de su traición
adorándola morí.   430
(Ocultando el puñal al ver que se abre la puerta.)
¡Mas ya llegan: maldición!
¡Qué lindo tiempo perdí!
(Entran en escena, primero dos frailes cistercianos [a],
caladas las capuchas, luego DON NUÑO, DON
PERO, DOÑA RAMÍREZ, *el* ABAD *con su gran mitra,*
DON JUAN, DON TIRSO *y* DON CRESPO, *tres nobles
de Pravia, frailes, soldados, etc., etc. Por último
entra* MAGDALENA, *con el traje de boda, apoyada
en* DOÑA NINÓN.)
Un fraile... dos frailes... Mi mente no sueña.
El Conde don Nuño... Don Pero, la dueña...
El Abad mitrado, los nobles pravianos   435
que los tres son primos porque son hermanos...
¿Pero y ella?... ¿Y ella?... ¿Do está, vive Cristo?...
(Entra MAGDALENA, DON MENDO *se estremece.)*
¡Ah! ¡Por fin la he visto! ¡La he visto!... ¡La he visto!
(Pausa. Todos miran a MAGDALENA.)*

---

[a] «franciscanos».
421 Descabellar: rematar al toro.
424 Equiv.: la «hoja» es del puñal y del árbol.
436 Equiv.: Son tontos los tres porque son de la misma familia.

122

MAGDALENA

¿Dónde está quien mi paz turba?
¿Dónde está, que quiero vello?   440
¿Dónde está el que fue motivo
de los celos de don Pero?
¿Es éste?

PERO

    ¡Sí!...

MENDO

    (¡Cuan hermosa
está con su traje nuevo!...)

MAGDALENA

Pues escuchad: ante todos   445
digo que su muerte quiero,
que si importunóme vivo
no ha de importunarme muerto.
Yo juro que nada mío
ha sido nunca don Mendo;   450
que él, que me escucha, responda
si digo verdad o miento.

MENDO

Dice verdad.
(Rumores.)

RAMÍREZ

(Es un primo.) [a]

---

[a] Entre los versos 453-4: «D.ª Ninón (Es un tonto)
             Clodulfo (Es un mastuerzo)
             D. Juan (Es un imbécil)
             D. Tirso (Un vaina)».

PERO

(Humildemente.)
¡Magdalena!

MAGDALENA

(Altivísima, deteniéndole con el gesto.)
                    ¡Caballero!

RAMÍREZ

(Don Pero se lo ha creído.   455
Este Pero es un camueso.)

MAGDALENA

Padre y señor, ya lo oíste.
Ya lo escuchaste, don Pero.
Jamás mis labios le hablaron:
jamás mis ojos le vieron: 460
para robar, escaló
la torre de mi aposento.
Ladrón, ladrón, no mereces
otro nombre y a él apelo.

PERO

¡Perdóname, Magdalena!...   465

MAGDALENA

No he terminado. Un momento.
Por los males que me fizo
pido a todos que ahora mesmo
y aquí mesmo le empareden;
y para escarnio y ejemplo,   470
le dejen fuera una mano,

---

456 Equiv.: «Pero» = peral, «camueso» = variedad de manzano. En
sentido figurado, Pero es un tonto.

124

la mano del brazo diestro.
(Rumores.)

MENDO

(¡Caray, qué bruta!)

PERO

(Cayendo de rodillas a los pies de MAGDALENA, *y tomándole una mano.)*
          Amor mío,
¡perdón mil veces!

MAGDALENA

¡Don Pero!...

PERO

Con señales tan prolijas   475
la vil calumnia tejieron,
que yo, encelado, caí
como la zorra en el cepo.
¡Perdóname!

MAGDALENA

Perdonado.

NUÑO

(Desenvainando la espada.)
¿Que lo perdonas? ¿Qué es esto?   480
(Sensación. Pausa. DON PERO *se levanta y le mira
con altivez.)*
Poco a poco, Magdalena;
tú eres mujer y eres buena

481-2 «Magdalena, / tú eres mujer y eres buena»; del cuplé contemporáneo «Ay, María Magdalena».

y perdonas; pero yo,
a quien la calumnia oyó
como canto de sirena,   485
y la creyó y difundió
y me ofendió y ultrajó
y mi honor pisoteó,
no he de perdonarle. ¡Oh!

MAGDALENA

¡Padre! ¡Padre!...

NUÑO

                    ¡No, no, no!   490
Aunque cumplí los setenta
aún mi brazo tiene brío
para saldar esa cuenta
con Pero.

MAGDALENA

          ¡Pero Dios mío!...

RAMÍREZ

¿Lavar vos, Conde, la afrenta   495
a vuestra edad? Es salirse
de lo que por justo estimo.
Vuestro valor, no escatimo,
mas por vos, debe batirse...
(Por DON JUAN *y* DON CRESPO.)
este primo... o aquel primo.   500

CRESPO

Dice bien.

JUAN

          Tiene razón.

Para lavar el baldón,
la mancha que nos agravia,
Conde Nuño, henos de Pravia.

ABAD

(Mediando con voz hueca campanuda.)
Un solo instante...

NUÑO

Atención.   505

ABAD

Caballeros, escuchad.

RAMÍREZ

Escuchad, que habla el Abad.

ABAD

Un consejo permitid,
en nombre de la piedad
de la que soy adalid   510
como Abad y por mi edad.

PERO

Decid, don David, decid.

NUÑO

Hablad, buen Abad, hablad.

ABAD

El gran Duque, como yo,
cree que su esposa futura   515

---

504 Parodia de un anuncio del jabón *Heno de Pravia.*

es pura, cual aura pura.
¿Opino bien?

PERO

¿Cómo no?

ABAD

Pues si todos, según veo,
creen lo mismo que yo creo
¿a qué más sangre verter?   520
¿A qué este asunto mover,
si ha de haber luego himeneo?
¿Que él al dudar la ofendió?
Pues al casarse, coligo
que su pecado purgó   525
que el casamiento, creo yo
que es suficiente castigo.
¿A qué batirse? ¿Qué alcance
tiene ese duelo que infama?
¿Que un ilustre nombre dance?   530
¿Que alguien diga que esta dama
es una dama de lance?
Esa idea del averno
dad, Conde, por no pensada.
¡*Turpiter atrum, fraterno!*   535
Abrazad a vuestro yerno
y aquí no ha pasado nada.

NUÑO

(*Humilde.*)
Del evangelio la voz,
siempre sabia y eficaz,

521-2 «mover... / ...himeneo». La última palabra sugiere «meneo» por
asociación con «mover».

532 Equiv.: «dama de lance» = mujer barata, prostituta.

vibró en mi pecho y veloz   540
quiero brindaros la paz.

PERO

Y yo la acepto veraz,
porque hubiera sido atroz
ese duelo contumaz,
(Se abrazan.)
En cuanto a don Mendo, apruebe   545
lo por mi dama indicado.

NUÑO

Aprobado, sí, aprobado.
En esta boda no debe
faltar ese emparedado.
(Gritando hacia el lateral.)
A ver, Mendingundinchía...   550
Otalaorreta... Sarmiento...
Acudan, por vida mía...

MENDO

(¡Qué momento!... ¡Qué momento!...)
(Entran en escena MARCIAL *y* LEÓN, *hombres de armas con capuchas rojas. No se les verá la cara.)*

NUÑO

Que aqueste muro vacíen,
que en él fabriquen su nicho[a],   555
y en la forma que se ha dicho
le sepulten.

---

[a] Entre los versos 554-5: «que dos frailes le auxilien».
[549] Equiv.: «emparedado» significa estar enterrado vivo dentro de una pared y también es el nombre de un pastel o de una porción de fiambre entre dos trocitos de pan.

MENDO

¿Es capricho
eso de la mano?

NUÑO

Sí;
fuera y de aquesta manera,
en actitud pordiosera,   560
para que al salir de aquí
todo el que a veros viniera
diga a la ciudad entera;
«Allí está don Mendo, allí,
en la torre, yo le vi;   565
tenía una mano fuera,
por eso le conocí.»

ABAD

Don Pero, ya el ara espera.

PERO

Vamos al ara preclara,
pues sólo el ara remedia   570
la inquietud que me acibara.

MENDO

(¡Esto, ay Dios, cuán me apesara,
quedar yo con mi tragedia
mientras ellos van al ara!...)

NUÑO

(A uno de los frailes, el que oculta más el rostro.)
Quedad con él y exhortalle,   575

---

[574] Equiv.: «al ara» = al matrimonio y «Mientras ellos van a ver una
comedia al teatro Lara».

fray Luis de Jerusalén;
confesalle y preparalle
para bien morir, amén.
¿Vamos todos?

ABAD

Vamos, sí.
(Van haciendo mutis.)

MENDO

(Lo que prometí, cumplí.)   580

MAGDALENA

(¡Lo que prometió cumplió!)

RAMÍREZ

(¡Jamás tal lealtad se vio!)

MENDO

(¡Jamás tal perjurio vi!
¡No sé si oí lo que oí
o si mi mente lo urdió!)   585

MAGDALENA

(Con tal de ser feliz yo,
¿que puede importarme a mí
que lo empareden o no?)
(Vase.)

MENDO

(¡Monstruo de maldad, quimera
con forma de ángel divino!...)   590

(Y el pobre Duque en la higuera...
¡Los hay que tienen un sino!...)
(Vase. Quedan en escena DON MENDO *y los dos*
frailes, es decir, MONCADA *y* SIGÜENZA *y los dos*
verdugos.)

MENDO

Basta ya de sufrimientos;
acabemos de una vez
y con altivez ¡pardiez!   595
esta vida de tormentos[a].
(A los frailes, sacando el puñal.)
Se empareda a los villanos,
no a los hombres de raigambre.
Sed testigos, cistercianos[b],
de que muero por mis manos   600
y emparedan a un fiambre.
(Intenta clavarse el puñal; pero MONCADA *y* SIGÜEN-
ZA *echan atrás sus capuchas respectivas y le suje-*
tan.)

MONCADA

¡Quieto!

MENDO

¡Moncada!... ¡Sigüenza!...

SIGÜENZA

¿Qué es eso? ¿Qué vais a hacer?

---

[a] Tras verso 597: «de sordidez y hediondez».
[b] «franciscanos».
592 Sino de cornudo.
599 «cistercianos» = cistercienses.
601 Equiv.: Ver II, 549.

MENDO

¡Matarme!

MONCADA

    ¿Cuando comienza
vuestra vida a renacer?   605

MENDO

No comprendo.

MONCADA

(Llamando.)
            ¡Pronto! ¡Alenza...
Gorostizaga... León!...
El cadáver y al avío.
(Se quitan MARCIAL *y* LEÓN *las caperuzas rojas.)*

MENDO

(Boquiabierto.)
¿Pero qué es esto, Dios mío?
¡El Vizconde y el Barón!...   610
¡Oh virtud de la amistad!

MONCADA

¡Presto, Vizconde, avisad;
no hay que perder un instante!

MARCIAL

(Asomándose al lateral izquierda.)
Vamos, señores, pasad
con vuestra carga adelante.   615
*(Entran cuatro gachós con unas parihuelas en las que
    traen un cadáver tapado con una manta.)*

MENDO

¿Ese cadáver?... No acierto...

MONCADA

En ocasión a que está,
don Mendo, el castillo abierto,
hemos embriagado a
vuestros verdugos.

MENDO

¿Es cierto?   620

MONCADA

Y en lugar de vos se hará
emparedar a este muerto.
Ponga el anillo en su mano,
y aprovechando la fiesta
y el bullicio cortesano,   625
huya de la torre aquesta
vestido de cisterciano [a].
(Se quita el hábito.)

MENDO

Huiré, si; pero yo juro
que nadie sabrá de mí;
que don Mendo queda aquí   630
sepultado en ese muro.
Yo ya no soy el que era;
he muerto, y el que ha nacido
ni es don Mendo, ni lo ha sido,
ni volverlo a ser quisiera.   635
Soy un ente [b], una quimera;

─────────────

[a] «franciscano».
[b] «Soy ya un ente».

134

soy un jirón, una sombra;
alguien sin patria y sin nombre...
una aberración... un hombre
que de ser hombre se asombra.   640
Cual una nota perdida
con la ceniza en la frente,
naufragaré en el torrente
proceloso de la vida.
¿De qué viviré?... ¿Qué haré?...   645
¿Dónde al cabo moriré?...
¿Aquí o allá?... ¿Qué más da?...
¿Seré malo?... No lo sé.
¿Seré bueno?... ¡Qui lo sa!
Malo o bueno, para vos   650
será mi postrimer hálito.
Acabemos. Venga el hábito.
(Lo toma.)
Ahí va mi anillo... y adiós.

MONCADA

(Conmovido.)
¡Don Mendo!

MENDO

      ¿Qué estáis diciendo?
¿Don Mendo yo? ¿Estáis seguro?   655
(Por el cadáver.)
Ese, Moncada, es don Mendo,
el que sin pompas ni estruendo
váis a enterrar en el muro.
Despedidme de otra suerte,
porque yo no tengo nombre.   660

---

[649] «Chi lo sa!»
[a] «Moncada Pues, ¡adiós, hombre!...
   León Adiós, hombre!
   Moncada Adiós, hombre! Buena suerte!
   Telón».

MONCADA

¿Y cómo os diré que acierte?

MENDO

Decidme sólo: ¡Adiós, hombre!

MONCADA

¡Adiós, hombre!... ¡Buena suerte!

(Telón.)

FIN DE LA JORNADA SEGUNDA

JORNADA TERCERA [a]

Perspectiva de un campamento en el siglo XII. En el telón de fondo habrá pintadas aquí y allá, entre macizos de árboles y sorteando los accidentes del terreno, varias tiendas de campaña. Lejos se verá una ciudad circundada por espesas murallas y enhiestos torreones. En el lateral derecha frondoso arbolado. En el lateral izquierda [b] una lujosa tienda de campaña que se pierde en el lateral. Es de día.

> (*Al levantarse el telón están en escena* FROILÁN *y* MANFREDO, *nobles y apuestos guerreros. Dentro suena, cerca, un redoble de tambor, luego otro redoble más lejano, y así un rato hasta perderse el sonido lejísimos.*)

---

[a] «Personajes de la Jornada 3.ª

Magdalena		Don Nuño	
Azofaifa		Moncada	
Doña Ramírez		Froilán	
Doña Berenguela		Don Alfonso	
Raquel		Don Lope	
Ester		Don Lupo	
Rezaida		Manfredo	
Aljalamita		Girona	
Paje I		D. Gil	
Paje II	No hablan	D. Suero	
Duquesa		Dos Heraldos	
Marquesa		Un tamborilero	No hablan
Don Mendo		Un pífano	
Don Pero		Caballeros, soldados y algún moro».

[b] «el arranque de una».

FROILÁN

Ya los roncos atambores   1
dan al aire las noticias.
(A GIRONA, *que entra por la derecha primer tér-*
    mino.)
¡Albricias, Girona!

MANFREDO

¡Albricias!

GIRONA

Muy buenas tardes, señores.
¿Es cierto lo que pregona   5
ese parche que resuena?

MANFREDO

Es cierto; de enhorabuena
estamos todos, Girona.

FROILÁN

(Mirando hacia la derecha último término.)
Pero, ¡vive Dios! ¿Qué vedo?
¡Aquel aire, aquella espada!...   10
¿Es que deliro, Manfredo,
o es el Marqués de Moncada?

MANFREDO

El Marqués es, en efeto,
que ni en Burgos ni en León
hay jubón cual su jubón   15
ni peto como su peto.

MONCADA

(Entrando en escena por el término indicado.)

¿Redoblan? ¡Por San Dionís!
¿A quién tal ruido precede?

FROILÁN

Capitán, ¿de do salís
que ignoráis lo que sucede?   20

MONCADA

¿Pues qué sucede, Froilán?
¿Anuncian alguna ley?

FROILÁN

Anuncian al Rey.

MONCADA

       ¿Al Rey?
¿No me engañáis?

FROILÁN

      ¡Capitán!

MONCADA

Perdonad. Herido fui   25
cuando Baños fue asaltado,
y de Burgos he llegado
recientemente.

FROILÁN

      Pues sí;
don Alfonso hace un momento
salió de la ciudadela,   30
y con doña Berenguela
va a llegar al campamento.
Viene a ver a su privado,

139

y no es extraño el honor,
que muerto el Cid Campeador   35
no hay otro más esforzado;
pues con su arresto y su hueste,
es sabido que el de Toro
supo contener al moro
al Este, al Sur y al Oeste   40
El fuerte de Olivo fue
su principal objetivo,
y sabéis, Moncada, que
don Pero tomó el Olivo.
En la villa de Al-coló   45
bien demostró sus redaños,
y después, al tomar Baños,
su mayor triunfo alcanzó.
Ayer juró ante la tropa
y ante toda la nobleza   50
que hasta no entrar en Baeza
no ha de mudarse de ropa;
y siendo ayer once, infiero
que en entrar tendrá interés,
pues él se muda el primero   55
y el quince de cada mes.
¿No valen estos trabajos
que el propio Rey le visite
y le abrace y felicite
y le colme de agasajos?   60

MONCADA

¿Y no será otro el motivo
que obliga al Rey a venir?...

FROILÁN

No sé, Marqués, qué decir.
Aquí no hay otro atractivo...

---

[47] Equiv.: Conquistar Baños y también bañarse.

140

Hailo.

FROILÁN

¡Cielo! ¿Hailo? ¿Y eso?...   65

MONCADA

Yo no soy ningún Licurgo,
mas ni aquí, Froilán, ni en Burgos
me la da nadie con queso.
No hay que emular a la ardilla
para saber, ¡vive Dios!   70
cómo es el Rey de Castilla.

FROILÁN

¿Sabéis vos?...

MONCADA

¡Mejor que vos!
Que en mi infancia, allá en Sagley,
y en Pozal, y hasta en Bordallo,
hemos corrido el caballo   75
juntamente yo y el Rey.
Más de cien noches, de oculto,
él portando un añafil
y yo llevando el candil,
hemos escurrido el bulto   80
en busca de galanteos
con damas de baja estofa,
y hasta con la vil gallofa
hubo lances y escarceos.
Él es, Froilán, muy osado   85

---

66 «Yo no soy ningún Séneca», equivocación intencionada. Licurgo
fue un legislador ateniense.
78 «añafil» = trompeta morisca.
83 «gallofa» = la canalla.

al par que afable y cortés,
¡si sabré yo cómo es
despúes de haberle alumbrado!

MANFREDO

¿Y opináis vos?...

MONCADA

¡Claro está!

GIRONA

¿Qué aquí viene?...

MONCADA

Es muy creíble.   90

MANFREDO

¿Alguna mujer?

MONCADA

¡Quizá!

GIRONA

¿Algún amor?

MONCADA

Es posible.

MANFREDO

Entonces, ¿vos suponéis
que viene por la...?
(Señala la tienda de la izquierda.)

---

[88] Equiv.: «haberle dado luz» y «haberle parido».

MONCADA

       ¡Manfredo,
en la llaga vuestro dedo   95
con gran tino puesto habéis!
(Confidencial.)
El privado se casó
con la Manso de Jarama,
y tanto gustó la dama
al propio Rey, que exclamó   100
al conocella: ¡Por Cristo,
que en mi vida logré ver
una tan linda mujer
como la que agora he visto!
A su conquista me lanzo,   105
que esa Manso es un tesoro;
y sabiendo que el de Toro
al par que Toro era Manso,
rápido como un cohete
puso cerco a la señora,   110
y al cabo de media hora
era ya de Alfonso siete.
Y pues que agora la bella
mora en aqueste vergel,
viene el Rey, no a verle a él,   115
el Rey viene a verla a ella.

FROILÁN

(Enfáticamente, dando un paso atrás.)
Pues pierde su tiempo el Rey,
señor Marqués de Moncada,
que la esposa de don Pero
no está ya del Rey prendada,   120
sino de un bardo errabundo
que la dejó fascinada
una mañana en Fuenfría
al pie de Navacerrada.

¿De un bardo? ¿De un trovador   125
la Duquesa enamorada?
¿Estáis seguro?

FROILÁN

Lo estoy,
señor marqués de Moncada.
De un trovador, que no lleva
ni crestón, ni barberada,   130
ni casco, ni cruz, ni peto,
ni porta en el cinto espada;
sino un puñal toledano
de hoja fina y bien templada,
con rubíes que parecen   135
robados a la alborada
y en su puño, vuestro cuño,
señor marqués de Moncada.

MONCADA

¿Mi cuño?... (¡Cielos! ¿Acaso
es la joya regalada   140
por mí a don Mendo, o la otra
que en Burgos dejé empeñada
en el Mesón de Paredes?)
Vive el cielo, que me agrada
lo que me contáis del bardo   145
que hizo empresa tan osada.
¿Podréis, Froilán, describille?

FROILÁN

Puedo, que su faz grabada
quedó en mis ojos al vello,

---

130 «crestón». Parte superior de la celada en la cual se ponían las plumas; «barberada», posiblemente «babera», otra pieza de la armadura que cubría la boca, barba y quijadas.

al pie de Navacerrada.   150
Tiene la color oscura,
tiene la su voz velada,
la su cabeza es pequeña
y algo braquicefalada.
Tiene rubios los cabellos,   155
tiene la barba afeitada,
breve el naso, noble el belfo,
la su frente despejada,
y una mirada tan dulce,
tan triste, tan apenada,   160
que hay que preguntalle al velle,
¿qué tienes en la mirada?

MONCADA

¿Sabéis su nombre?

FROILÁN

Renato.

MONCADA

Le va bien.

FROILÁN

¿Cómo?

MONCADA

No, nada.
¿Y se apellida?

---

154 «braquicefalada» = braquicéfala.
162 «¿Qué tienes en la mirada?»: Romanza de la zarzuela *Molinos de viento,* de Luis Pascual y Pablo Luna.
163 «Renato» = vuelto a nacer.

FROILÁN

Lo ignoro,   165
señor Marqués de Moncada.

MONCADA

(Es él; don Mendo, sin duda.)

FROILÁN

Va de mesnada en mesnada
en unión de tres judías
y dos moras de Granada,   170
que bailan, mientras que él
recita alguna balada.
Y diz, que una de las moras,
la que Azofaifa es llamada,
sabe de augurios y hechizos   175
y fabrica una pomada
que aunque al verla se os antoja
vaselina boricada,
es pomada milagrosa,
pues con una pincelada   180
torna al anciano en adulto
y a la nieve en llamarada.

MANFREDO

(Mirando hacia la derecha.)
Ved, Froilán, ya se columbra
el tropel por la cañada.

MONCADA

Es verdad. El Rey se acerca,   185
se ve su enseña morada

---

[168] «mesnada» = compañía de gente de armas.
[174] «Azofaifa» = fruto del azofaifo.

junto a los verdes pendones
del Privado y la Privada.
¿Vamos, señores?

FROILÁN

Sí; vamos,
señor Marqués de Moncada.   190
(Se van por la derecha último término.)
(Por el primer término de la izquierda, entran en esce-
   na DON MENDO, AZOFAIFA, REZAIDA, ALJALA-
   MITA, RAQUEL *y* ESTER. *La dos primeras son mo-*
   ras; las tres últimas judías. DON MENDO *viene afei-*
   tado y vestido de juglar.)

MENDO

(Por la tienda de la izquierda.)
Aquí ha de hospedarse el Rey.
Hagamos alto aquí mesmo,
que si en su honor se hacen fiestas
como dicen, y yo espero,
vamos a sacar tajada   195
y bien gorda, vive el cielo.
Ester y tú, Aljalamita,
por ese camino estrecho
avanzad, y dadme aviso
de cuando el Rey y su séquito   200
se avecinen.
(Hacen mutis por la derecha ESTER *y* ALJALAMITA.)
                Tú, Rezaida,
acércate al arroyuelo
y lávate barba y boca,
porque después del almuerzo
no lo hiciste y tienes manchas   205
de chorizamen y huevo.
(Vase REZAIDA *por la izquierda.)*

---

203 «barba» = barbilla.

Raquel, haz tú una tomiza
y remienda el roto velo,
que para danzar la rumba
puede hacer falta.

RAQUEL

Al momento.   210
(Mutis por la derecha.)

MENDO

Y tú, Azofaifa, averigua
si al Barón de Vasconcello
plació la silva que ayer
dediqué a sus mesnaderos.
(AZOFAIFA no se mueve.)
¿No escuchastes, Azofaifa?   215
¿No obedeces?

AZOFAIFA
                    (Resuelta.)
¡No obedezco!

MENDO

¡Cielos, que fue lo que oí!
¡Azofaifa!... ¿Qué es aquesto?

AZOFAIFA

Aquesto, es Renato, que muero de amores;
aquesto, es Renato, que muero de celos.   220
Aquesto es que anhelas restar aquí solo
para hablar con ella... ¡No niegues aquesto!
Que yo sé, Renato, que aquesa es la tienda
del noble Privado, del Duque don Pero,

---

[206] «chorizamen»: El terminar ciertos sustantivos en «—amen» con
fines humorísticos fue costumbre bastante extendida en España, semejante a la actual de hacerlo en «—ata».

y sé que a su esposa, tú adoras, Renato.   225

MENDO

¡Mientes Azofaifa!... ¡Mientes, sí!...

AZOFAIFA

                              No miento.
La quieres, la adoras, suspiras por ella,
la nombras dormido, la buscas despierto.
Magdalena, dices, al abrir los ojos,
Magdalena, dices, al rendirte al sueño.   230
Y hasta hace unas horas, cuando en la hostería,
te desayunabas, pediste al hostero
en vez de[a] ensaimada, una magdalena
y eso fue una daga que horadó mi pecho.

MENDO

(Mirándola con profundísima pena.)
¡Pobre morabita, nieta de Mahoma,   235
fuego de mi nieve, nieve de mi fuego,
luminar lejano de mi eterna noche,
rosa que perfumas en mi campo yermo!...
¿Qué traidora mano vertió en tus entrañas
la negra semilla de los tristes celos?   240

AZOFAIFA

Mis ojos, Renato, que vieron los tuyos
y vieron los suyos y en ambos leyeron
¡Ella te idolatra!

MENDO

          ¿Qué dices?

_____

[a] *Om.:* «una».
[232] «hostero» = hostelero.
[233] La 1.ª ed. dice «una magdalena», por errata.
[235] «morabita»: aquí, impropiamente, por «mora».

AZOFAIFA

¡Te adora!
¡Lo he visto en sus ojos!

MENDO

(Si tal fuera cierto
qué hermosa venganza matalla de amores.)   245

AZOFAIFA

Y tú...

MENDO

Calla, calla, ¿qué sabes de eso?

AZOFAIFA

¿Por qué me engañaste? ¿Por qué me dijiste
que en ti los amores y la fe habían muerto?
¿Por qué me dijiste que esos labios rojos
que me vuelven loca, no darían más besos?   250
¿Por qué me dijiste que tus ojos claros
nunca mirarían con loco deseo?
¿Por qué me dijiste que no me abrazabas
porque las traiciones tanto mal te hicieron,
que en huelga tranquila de brazos caídos   255
tus brazos nervudos por siempre cayeron?
¿Por qué me engañaste, Renato? Responde.
Ya ves que, llorando, mis penas te cuento.
(Cae de rodillas, llorando.)

MENDO

(Conmovido, poniéndole una mano sobre la cabeza.)

---

255 «huelga... de brazos caídos»: la que hacen quienes no abandonan su puesto pero se niegan a trabajar.

¡Mora de la morería!...
¡Mora que a mi lado moras!...   260
¡Mora que ligó sus horas
a la triste suerte mía!...
¡Mora que a mis plantas lloras
porque a tu pecho desgarro!...
¡Alma de temple bizarro!   265
¡Corazón de cimitarra!...
¡Flor la más bella del Darro
y orgullo de la Alpujarra!...
¡Mora en otro tiempo atlética
y hoy enfermiza y escuálida,   270
a quien la pasión frenética
trocó de hermosa crisálida
en mariposa sintética!...
¡Mora digna de mi amor
pero a quien no puedo amar,   275
porque un hálito traidor
heló en mi pecho la flor
aun antes de perfumar!...
(Levantándola.)
Deja de estar en hinojos.
Cese tu amarga congoja,   280
seca tus rasgados ojos
y déjame que te acoja
en mis brazos, sin enojos.
(La abraza.)
No celes, que no es razón
celar, del que por su suerte   285
en una triste ocasión
por escapar de la muerte
dejó en prenda el corazón.
No celes del desgraciado
que sin merecer reproche   290
fue vilmente traicionado

---

259 «mora de la morería». Eco del romance «Abenámar, Abenámar, / moro de la morería...»

y cambióse en media noche
por no ser emparedado.
Ni a ti ni a nadie he de amar.
Déjame a solas pensar   295
sentado en aqueste ripio,
sin querer participar
del dolor que participio.
Déjame con mi revés:
si quieres besarme, bésame,   300
consiento por esta vez,
pero déjame después.
Déjame, Azofaifa, déjame.

AZOFAIFA

(Arrodillándose ante él y besándole la mano.)
Adiós, mi amor, mi destino,
asesino peregrino   305
de mi paz y mi sosiego.
Adiós, Renato divino.

MENDO

Adiós, adiós. Hasta luego.

AZOFAIFA

(Haciendo mutis por la izquierda primer término.)
(De quien causó su quebranto
y le fizo llorar tanto,   310
he de vengarme colérica.)
(Vase.)

292-3 Equiv.: Como el emparedado, la medianoche es también un bo-
llito dulce con fiambre.

296 «ripio»: Probablemente, risco o montículo.

299 «revés»: quebranto.

MENDO

(Viéndola ir, con cierta lástima.)
(La infeliz es una histérica
que no sé cómo la aguanto.)
(Sentándose.)
Pero lo que me indicó
de Magdalena, ¿será   315
una ilusión suya o no?
Si eso fuera cierto... ¡oh!
Si se confirmara... ¡ah!
Que de estar enamorada
mi venganza tendría efeto,   320
pues que podría, discreto,
herirla de una balada
y matalla de un soneto.
Y debe ser cierto, sí,
porque siempre que me ve   325
me mira de un modo que
parece como que se
face pedazos por mí.
¡Ironías de la suerte:
la que condenóte a muerte   330
y te arrojó de sus brazos
agora sin conocerte
se muere por tus pedazos!
*(Queda pensativo, con la frente apoyada en el índice
    de la mano diestra.)*
*(Por la derecha, último término, entran en escena
    MAGDALENA y DOÑA RAMÍREZ.)*

MAGDALENA

¿Es él?

RAMÍREZ

        Él es.

---

312 «histérica». Ver II, 68.
326-7 «modo que / ...que se./». Ver II, 223-4.

MAGDALENA

¡Ya era hora!

RAMÍREZ

Sin duda alguna os acecha...   335

MAGDALENA

Doña Ramírez

RAMÍREZ

Señora.

MAGDALENA

Dejadme con él agora.

RAMÍREZ

Pues buena mano derecha.
(Haciendo mutis.)
(Hoy quien priva [a] es el poeta
de las baladas divinas,   340
y ayer privaba [b] un atleta...
¡Infeliz! Es más coqueta
que las clásicas gallinas.)
(Entra en la tienda.)

MAGDALENA

(A DON MENDO.)
      Trovador, soñador,
            un favor.   345

---

[a] *T.:* «Ahora la gusta».

[b] «la gustó».

342-3 Otro recurso cómico de Muñoz Seca es la substitución de ciertas palabras en una frase hecha por otras más o menos sinónimas. Aquí,
«es más puta que las gallinas».

154

MENDO

¿Es a mí?

MAGDALENA

Sí, señor.
Al pasar por aquí
a la luz del albor
he perdido una flor.

MENDO

¿Una flor de rubí?   350

MAGDALENA

Aun mejor:
un clavel carmesí,
    trovador.
¿No lo vio?

MENDO

No le vi.

MAGDALENA

¡Qué dolor!   355
No hay desdicha mayor
    para mí
que la flor que perdí,
era signo de amor.
    Búsquela,   360
y si al cabo la ve
    démela.

MENDO

Buscaré,
mas no sé si sabré
    cuál será.   365

MAGDALENA

Lo sabrá,
porque al ver la color
de la flor
pensará,
¿seré yo   370
el clavel carmesí
que la dama perdió?

MENDO

¿Yo decís?

MAGDALENA

Lo que oís,
que en aqueste vergel
cual no hay dos,   375
no hay joyel ni clavel
como vos.

MENDO

Quedad, señora, con Dios.

MAGDALENA

¿Por mi desdicha os molesto,
os importuno y agravo?...   380

MENDO

No, señora, no es aquesto:
es que cual flor, soy modesto
y me estáis subiendo el pavo.

MAGDALENA

¿Es que tan mal expreséme,
doncel, que no comprendióme?   385

¿No miróme? ¿No escuchóme?
¿Tan poco afable mostréme
que apenas viome y odióme?

MENDO

Escuchéla y contempléla,
vila, señora, y oíla;   390
pero cuanto más miréla
y cuanto más escuchéla,
menos, señora, entendíla.
¿Quién sois que venís a mí,
a un errante trovador,   395
y me comparáis así
con un clavel carmesí
que es signo de vuestro amor?.

MAGDALENA

Trovador a quien adoro:
soy la Duquesa de Toro,   400
la más rica de Alcover.
Tengo en mi casa un tesoro:
para amarme, ¿queréis oro?

MENDO

¿Para qué lo he de querer
si el oro no da el placer?   405

MAGDALENA

Trovador de baja grey,
soy yo la amante del Rey,
la que reina por amor.
Mi capricho es siempre ley.
¿Quieres ser Duque o Virrey?   410

MENDO

Honor que otorga el favor,
¿para qué si no es honor?

MAGDALENA

(Cada vez más loca.)
Trovador, soy muy hermosa,
mi piel es pulida rosa
que goce y perfume da.   415
Soy volcánica y mimosa,
tómame y hazme dichosa.

MENDO

¿Quién habla de goces ya
si el goce la muerte da?

MAGDALENA

Hombre de hielo, que así   420
responde a mi frenesí,
¿dónde tu acento escuché?
¿En dónde tus ojos vi?
¿Dónde la tu voz oí?

MENDO

No sé, señora, no sé,   425
ni do vi, ni do os hablé,
(Adoptando una postura gallarda.)
Algún fantasma está viendo
vuestro cerebro exaltado.

MAGDALENA

(Retrocediendo horrorizada.)
¡No, sí, no, sí, no!... ¡¡Don Mendo!!
(Reponiéndose.)
(¿Pero qué estoy yo diciendo?   430

¡Don Mendo está emparedado!)
¡Perdonad. Tuve un repente,
mas ya pasó, por ventura.
Sin duda la calentura
trajo de pronto a mi mente   435
el recuerdo, la figura
de un ladrón, de un perdulario,
de un Marqués estrafalario,
que, aunque noble y de Sigüenza,
por robar como un corsario,   440
murió como un sinvergüenza.

MENDO

Si me quisierais contar
esa historia, gran señora,
pudiérala yo glosar.

MAGDALENA

Luego, que no hay tiempo ahora.   445
Si la queréis escuchar,
¡bellísimo trovador!...
en la cueva de Algodor
aguardadme al dar la una;
que hay allí sombra y frescor   450
y una fuente que oportuna,
saciará, sin duda alguna,
mi sed ardiente de amor.
¿Faltarás?

MENDO

    No faltaré.

---

439 Don Mendo es leonés (II, 298).

Gracias, mi tesoro, adiós.   455
Con mi dueña acudiré,
y tan en punto estaré,
que, al sentirnos, diréis vos:
«es la una y son las dos»...
¡Adiós, mi vida, mi fe!...   460
¡Adiós, mi tesoro, adiós!...
(Le tira un beso y entra en la tienda de la izquierda.)

MENDO

(Horrorizado.)
¿Qué es eso? ¿Tiróme un beso?
(Limpiándose.)
¿Dónde, ¡ay, Dios!, el beso diome,
y dónde quedóme impreso?
¡Pardiez! ¿Por qué fizo aqueso   465
y por qué me lo tiróme?
¡Trapalona! ¡Lagartona!
¡Furia, catapulta, aborto...!
que de perjurio blasona,
has de ver cómo me porto;   470
pues esta tarde en la cueva
adonde el hado te lleva,
juro por quien fui y no soy,
que he de vengarme y que voy
a dejarte como nueva.   475
Porque al hacer explosión [a]
todo el odio que hay en mí,
seré para tu expiación,
no ya un clavel carmesí,
sino un clavel reventón.   480
(Jura y se va por la derecha último término.)

---

[a] *Om.:* Versos 476-80.
467 «trapalona» = embustera.

(Surgiendo por la izquierda.)
¡Ah! ¡No, miserable, no!...
A esa cita que te dio
no irás solo con la bella.
Habrá otra mujer en ella,
y esa mujer seré yo.   485
(Se va tras de DON MENDO. *Por la derecha, primer
término, entran en escena sigilosamente* DON LOPE
y DON LUPO.)*

LUPO

¡Válame el cielo, don Lope!
¡Válanme todos los santos!

LOPE

¿Qué ha sucedido, don Lupo?

LUPO

Que don Nuño y el privado
hacia la tienda venían   490
a fin de tomar descanso,
cuando al llegar a la orilla
de ese chaparral cercano
vio don Pero que su esposa
con un hombre estaba hablando.   495
Celoso, pretendió oilla:
detuvo a don Nuño el paso
y hoy han sabido los dos
lo que nunca sospecharon:
que la privada es capaz   500
de pegársela al privado,
no ya con el propio Rey,
que tal pegamento, es caso
de honor para la familia,
sino con cualquier bellaco   505

que la recite una trova
junto a la trompa de Eustaquio.

LOPE

¡Pobre Toro! Tan boyante
que venía, tan ufano
con los honores que el Rey   510
ha un instante le ha otorgado.

LUPO

¿Honores?

LOPE

¿No lo sabíais?

LUPO

No, por cierto.

LOPE

        ¡Qué milagro!
Pues sí; por su loca audacia
y su arrojo al tomar Baños,   515
hale otorgado el honor
de poner en lo más alto
de su escudo, donde ostenta
una cruz de luengos brazos,
cinco banderillas blancas   520
con ribetes encarnados.

LUPO

¡Cinco banderillas!

---

[507] «la trompa de Eustaquio» = la oreja.
[517-39] Alusiones a la condición de cornudo de don Pero.

LOPE

Cinco:
a bandera por asalto.
Y por tomar Al-coló
y el Olivo, le ha donado   525
para su escudo también
aqueste lema preclaro:
«No hay barreras para mí,
pues si hay barreras, las salto.»

LUPO

Aquí llegan. Reparad   530
cuán tristes y cabizbajos
se acercan ambos, don Lope.

LOPE

Y con razón, qué diablos.
Yo en el pellejo de Toro
embistiera sin reparo   535
desde el rey al trovador.

NUÑO

(Con DON PERO *por la derecha, primer término.)*
¡Valor, don Pero!...

PERO

(A DON LUPO *y* DON LOPE.*)*
                    ¡Dejadnos!
*(Se deja caer en una piedra y oculta el rostro entre
    las manos.)*

(Haciendo mutis con DON LOPE *por la derecha, último término.)*
Parte el alma ver a un Toro
tan noble y tan castigado. *(Vanse.)*

PERO

(Incorporándose, desalentado, tras una pausa.)
¡Qué fue, don Nuño amigo,   540
lo que escuché desde la vil maleza!...
¡Qué horóscopo infernal nació conmigo!
¿Por qué cayó este peso, este castigo
sobre mi corazón y mi cabeza?...
¡Ella, la blanca flor que yo estimaba   545
pura como el albor de primavera,
aprovechando mi fatal ceguera,
con este y con el otro se enredaba,
y más que blanca flor que perfumaba,
era torpe y maldita enredadera!...   550
¡Con lo que yo la amaba, que ella era
mi norte, mi pendón y mi bandera!...
¡Triste suerte la mía!
¿A quién sale con tal coquetería?
¿Lo imagináis tal vez?

NUÑO

(Tristemente.)
                           Sale a una tía: 555
A mi hermana menor doña Mencía [a],
que dos veces casóse
y con los dos esposos divirtióse.

---

[a] «Mi hermana la mayor doña Mencía».

PERO

Yo fui siempre un marido comedido
que en tal comedimiento está mi flaco.   560
Jamás oyó de mi nada atrevido,
que cuando algún bellaco
mi calma exasperaba y distraído
soltaba en su presencia cualquier taco,
procuraba al instante   565
disimular la frase mal sonante
y usaba de vocablos
que eran sustitutivos de venablos.
¡Cuántas veces he dicho centellante:
«Córcholi», que es un taco italiano   570
en lugar del venablo castellano!...

NUÑO

¿Y qué piensas hacer?

PERO

¡Matalla!

NUÑO

¡Calla!
Al ladrón que en su amor te sustituya
mátale, sí, porque su vida es tuya;
pero a la vil canalla   575
que el honor de los Mansos avasalla,
yo solo he de matar. ¡Nadie me arguya!
Mi sangre lleva, que mi sangre es suya,
y yo mesmo, su padre, he de matalla.

PERO

¡Pero si el golpe os falla...   580
dejaréis que a mi vez yo contribuya!...

NUÑO

Debes en caso tal, apuñalalla
y con furia de tigre rematalla
hasta que el deshonor en ti concluya.

PERO

(Abrazándole conmovido.)
Esa respuesta noble y bondadosa   585
aguardaba de vos y no otra cosa.
Si no escuchamos mal, es a la una
la cita de mi cónyuge.

NUÑO

　　　　　En efeto,
y en la cueva moruna,
lugar que por su aspeto,   590
se presta, ¡vive Dios!, a mi proyeto.

PERO

Pues la comedia acabará en tragedia.
Nos reuniremos a las doce y media
y sereno... ¡Sereno, sí, sereno,
mi honor he de librar de tanto cieno!   595
(Trompetazos y musiquilla dentro.)

NUÑO

(Mirando hacia la derecha.)
¡El Rey se acerca!...

PERO

　　　　　¡El Rey!... ¡Qué desengaños!
¡Después de una amistad de tantos años

593-4 Equiv.: «Doce y media / y sereno»: Frase cantada por los sere-
nos para dar la hora; «y sereno, sí, sereno...» = me comportaré sere-
namente.

resultar que era él, mi condiscípulo,
el que en la corte me ponía en ridículo!...
Y debe amarla aún, que aunque sostiene   600
que viene aquí por mí, por mí no viene.
Esas son ocurrencias de retórico.
¡Viene por mi mujer!

NUÑO

Eso es histórico...

PERO

De haberlo yo sabido
no hubiera, no, don Nuño, consentido   605
que por premiar mi táctica certera
al tomar esos fuertes por asalto,
en el escudo de mi padre hiciera
insertar la inscripción de la barrera,
y luego, esto es peor, ¡ay!, me pusiera   610
las cinco banderillas en lo alto;
que agora me avergüenza y me mancilla
el llevar en la cruz las banderillas.

NUÑO

¡Disimulo, don Pero!

PERO

Soy valido
y sé disimular como es debido.   615
(La musiquilla suena ya en el último rompimiento de
la izquierda y al mismo tiempo que [a] MAGDALENA
y DOÑA RAMÍREZ *salen de la tienda, entran en*

604-13 Ver III, 517-39.

[a] «entran en escena Rezaida, por la izda., primer término y Magdalena y D.ª Ramírez que salen de la tienda, entran por la derecha
último término los siguientes personajes, y en este mismo orden: dos
heraldos, un tamborilero y un pífano, seis soldados».

escena por la derecha último término los siguientes
personajes y en este mismo orden: dos HERALDOS,
seis SOLDADOS, *dos* PAJES, DON ALFONSO, DOÑA
BERENGUELA, MARQUESA, DUQUESA, DON GIL,
DON SUERO, MONCADA, FROILÁN, MANFREDO,
GIRONA, DON LUPO, DON LOPE, DON MENDO,
AZOFAIFA, RAQUEL, ESTHER, ALJALAMITA, RE-
ZAIDA, MORO 1.°, MORO 2.°, *y cuantos guerre-*
ros sean posibles. MAGDALENA *saluda cortésmente*
a los REYES *en tanto que los* PAJES *entran en la*
tienda y sacan dos sillones, que ocupan DOÑA BE-
RENGUELA *y* DON ALFONSO.)

ALFONSO

Cese ya el atambor, que están mis nobles
cansados de redobles
y yo ahíto
de tanto parchear y tanto pito.
(Cesa la música.)
(Dirigiéndose a la DUQUESA.*)*
Ha un momento, señora, que a tu esposo   620
por su mando glorioso
en esta magna empresa
le demostré gustoso
el amor que mi pecho le profesa.
A ti, noble Duquesa,   625
que por valles, y cúspides y oteros,
vas tras él animando a los guerreros
que te llaman «la bélica leonesa»,
cumpliendo una promesa
que hice a la Reina ayer, de sobremesa,   630
te nombro capitán de coraceros.
(Murmullos.)

---

619 «parchear»: aquí con el doble sentido de «sobar o manosear a una
persona» (*Dicc. Aut.*) y de tocar los tambores.
631 Los coraceros eran soldados de un cuerpo de caballería que apareció bastantes siglos después.

Y a tu cintura breve y torneada
yo mesmo he de ceñir mi regia espada.

MAGDALENA

No me estimo acreedora
a gracia tan loadora y valedora.   635

BERENGUELA

Tal merced nuestro afecto conmemora.

MAGDALENA

¡Gracias, Rey y señor!... ¡Gracias, señora!...

ALFONSO

(Ciñéndole su espada.)
¿Por qué no me has escrito, vida mía?

MAGDALENA

(También en voz baja.)
Porque Pero me acecha noche y día.

ALFONSO

Luego te buscaré.

MAGDALENA

                    ¿Pero esta gente?...   640

ALFONSO

Yo les daré esquinazo fácilmente.
(Se separan. DON ALFONSO vuelve a ocupar su sitio.)

---

635 «loadora y valedora»: Tan halagüeña y valiosa.

169

(A DON ALFONSO.*)*
Señor, de veras lamento
y me duele y me molesta
no poder haceros fiesta
en mi pobre campamento;   645
pero aunque a todos convoque
no he de hallar, porque no haile,
nadie que cante, ni toque,
ni que recite, ni baile;
que son mis garridas huestes,   650
huestes de recios soldados
a quienes han sin cuidado ª
los romances y los «tuestes».

BERENGUELA

¿Pero es posible, don Pero,
que quien distraiga no haiga?   655

PERO

Señora, no hay quien distraiga.

MENDO

(Avanzando.)
Perdonadme, caballero.

PERO

(Furioso.)
¡Cielos! ¿Quién osa?

ª «a quienes han sin cuidado». La 1.ª ed. dice, por errata, «a quienes han sido cuidados».
653 «tuestes» = tostones, aburrimiento.

MENDO

¡Yo oso!

ALFONSO

¡Un trovador!

MONCADA

(¿Qué estoy viendo?
Es él, don Mendo. ¡Don Mendo!...)   660

BERENGUELA

(Calándose los impertinentes y mirando a DON MEN-
DO con codicia.)
¡Qué trovador tan hermoso!)

MENDO

Rey de Castilla y León,
si tu permiso me dieras,
yo trovara una canción
al son del mago danzón   665
de mis cinco bayaderas.

ALFONSO

¿Cinco bayaderas? ¡Vaya!

MENDO

Vedlas, señor.
(A las moras y judías que estarán tras él.)
                ¡Avanzad!
(Las cinco saludan.)
Dudo que en Hispania haya
desde Cádiz a Vizcaya   670

---

665 «danzón»: baile cubano.
666 «bayaderas» = bailarinas de la India.

nada mejor, Majestad.
Judías son estas tres,
y hacen tan raras estrías
con los brazos y los pies
al danzar, que raro es   675
no repitan las judías.
Estas otras dos son moras
de la Alpujarra, y compiten
con las otras danzadoras
de tal modo, que repiten   680
aunque son moras, señoras.
Si ver sus gracias queriedes
y permiso me concedes
y para una trova entonar,
yo sabré, señor, pagar   685
con un canto tus mercedes.

ALFONSO

Trove, trove el trovador,
que no ha de causarme enojos.

MAGDALENA

(¡Es bello como una flor!)

BERENGUELA

(¿Qué fuego tiene en sus ojos   690
que ha despertado mi amor?)

MAGDALENA

(Que no quita ojo a DON MENDO.)
Doña Ramírez, le quiero;
muero por ese doncel.

172

BERENGUELA

(A DON SUERO *que está tras ella.)*
Ese trovador, don Suero,
ha de ser mío, o me muero.   695
(Siguen hablando.)

AZOFAIFA

(¡Todas se fijan en él!)

ALFONSO

(A DON GIL, *que está tras él.)*
Haced que yo y Magdalena
tengamos alguna escena
antes de sonar las cuatro.
(Siguen hablando.)

BERENGUELA

(A DON SUERO.)
Decidle que me enajena,   700
decidle que le idolatro,
que su voz me suena a trinos,
que su boca es un edén,
y que quiero, por mi bien,
verme en sus ojos divinos   705
antes que las cuatro den.

GIL

(A DON ALFONSO.)
Yo hablaré luego a la bella.

SUERO

(A DOÑA BERENGUELA.)
Satisfarás tu quillotro.

PERO

(A DON NUÑO, *rugiendo de ira.)*
¡Qué estrella tengo! ¡Qué estrella!
¡Cómo mira el Rey a ella!...   710
¡Y ella cómo mira al otro!...

MENDO

(Que ha estado templando su laúd.)
Templado está ya el laúd.

ALFONSO

Pues vuestra trova cantad.

MENDO

¡Reyes y nobles, salud!...
(Al Rey.)
Para ti mi gratitud   715
por tu indulgencia.

ALFONSO

Empezad.
(Música.)

MENDO

*(Mientras las tres judías y las dos moras bailan, recita
a compás de la música.)*
Era don Lindo García,
el Marqués de Fuente-Amor,
el más noble caballero
de Castilla y de León.   720
Sangre de reyes tenía
y sangre de rey vertió,
que fue don Lindo el que en Clunia

---

[708] «quillotro» = amorío.

174

dio muerte al rey Almanzor.
Oro don Lindo, no había,   725
ni jamás en él pensó;
que el oro, con valer tanto,
nunca fue el triunfo mejor
para quien pone en el puño
de su espada el corazón.   730

AZOFAIFA, REZAIDA, RAQUEL, ESTER
y ALJALAMITA [a]

(Todas a una.)
Era don Lindo García,
el Marqués de Fuente-Amor,
el más noble caballero
de Castilla y de León.

MENDO

En doña Sancha Mendoza,   735
hija del Conde de Aldoz,
puso don Lindo los ojos,
y con los ojos su amor;
y doña Sancha una noche
a don Lindo se entregó,   740
porque cantóle una trova
al pie de su torreón,
y era la trova tan linda
y tan lindo el trovador,
que doña Sancha rindióse   745
con el do re mi fa sol.
El Conde, que no sabía
d'este enredo, concertó
la boda de doña Sancha
con Suero de Waldeflor,   750

---

[a] *T.:* «Las cinco suspenden el baile al decir esto y lo dirán al mismo tiempo».

qu'era valido del Rey
de Castilla y de León.
Y doña Sancha, ambiciosa
de riquezas y de honor,
quiso alejar a don Lindo   755
de su castillo de Aldoz
para casar con don Suero
con pompa y con esplendor,
que en aquel Suero veía
un remedio a su ambición.   760

AZOFAIFA, REZAIDA, RAQUEL, ESTER
y ALJALAMITA

(Todas a una.) a
En doña Sancha Mendoza,
hija del Conde de Aldoz,
puso don Lindo los ojos,
y con los ojos su amor.

MENDO

Un collar Sancha tenía   765
y a don Lindo lo entregó
para perdelle, y aluego
matalle sin compasión.
Que la noche que donóle
el collar, don Suero entró   770
por la escala que pendía
del macizo torreón
y halló a don Lindo en la estancia,
y con don Lindo luchó;
y cuando furioso el Conde,   775
para defender su honor,
a don Lindo y a don Suero
pidió franca explicación,

---

a *T.:* «(Todas a una)».

759 Equiv.: «Suero» como nombre propio y como medicina.

176

doña Sancha, la perjura,
con serena y firme voz, 780
confesó que por roballa
don Lindo en la estancia entró;
y como el collar tenía
de su brazo en derredor
y delatalla no pudo 785
porque salvalla juró,
como ladrón fue tenido
el marqués de Fuente-Amor,
y como ladrón juzgado,
y muerto como ladrón. 790

*(MAGDALENA, que ha estado escuchándole nerviosí-
sima, da un grito y cae desmayada en brazos de
DOÑA RAMÍREZ. Cesa la música.)*

PERO

¡Cielos! ¿Qué es esto?

RAMÍREZ

¡Venid!

(Acuden los pajes.)

NUÑO

(Acercándose.)
¿Qué sucede?

MONCADA

(A DON MENDO, con intención.)
        ¡Por Satán!
Que el valiente capitán
se ha desmayado.

*(DON MENDO le mira, se estremece, y muy azarado le
vuelve la espalda.)*

ALFONSO

(A DOÑA RAMÍREZ *y los pajes.)*
                    Partid.
En su tienda la dejad   795
con gran mesura y gran cuido.

RAMÍREZ

(Al ver que MAGDALENA *se agita convulsa.)*
(¡Hija, qué barbaridad,
y qué histérico has cogido!)
(Entran en la tienda, transportando a MAGDALENA,
los dos pajes y DOÑA RAMÍREZ.*)*

PERO

(Severamente a DON NUÑO.*)*
El trovador ha trovado
mi casorio, caballero.   800
Ella es Sancha, yo don Suero
y vos el Conde menguado.
Y si es cierto, ¡vive Dios!
que desde que me casé
hice el burro, juro que   805
habréis de llorar los dos.

NUÑO

¿Hacéis caso de un poeta?
(Siguen hablando.)

AZOFAIFA

(¿Qué colijo de este trance?
¿Por qué escuchando el romance
cayó con la pataleta?   810
¿Será acaso esa mujer

---

[798] «y qué histérico has cogido!)»: Ver II, 68.
[802] «menguado» = pusilánime.

178

la que mató su ilusión?
Si es ella, la he de morder
la lengua y el corazón.)
(Se desliza y entra en la tienda de MAGDALENA.)

BERENGUELA

(Que le anda dando vueltas a DON MENDO, *comién-*
dosele con los ojos.)
(Yo mesma decirle quiero   815
que por su boca estoy loca,
y que el coral de su boca
ha de besarme, o me muero.)

MONCADA

(Detrás de DON MENDO, *que continúa en el centro*
de la escena con los brazos cruzados y la vista en
las nubes.)
¡Don Mendo!

MENDO

(Estremeciéndose.)
          Así no me llamo.

MONCADA

Vos sois don Mendo.

MENDO

          ¡Jamás!   820

BERENGUELA

(A DON MENDO, *a media voz y comiéndoselo.)*
¡Te amo, trovador! ¡¡Te amo!!
(Se separa de él.)

MONCADA

Pero Mendo, ¿qué las das?

MENDO

(¡La Reina!... Lo estaba viendo.)

ALFONSO

¡Señores, siga la danza!...

MENDO

(¡Qué cerca está la venganza,
la venganza de don Mendo!...)
(Telón.)

FIN DE LA JORNADA TERCERA

JORNADA CUARTA [a]

La escena es una gran oquedad abovedada, perteneciente a una cantera o mina abandonada. En el fondo gran arco irregular que sirve de entrada. El telón de foro será una alegre y luminosa perspectiva de campo andaluz, con algún que otro pino frondoso en primer término.

Dentro ya de esta gran cueva habrá, a la derecha y en ochava, una cascada cuyas aguas corren hacia el foro. Sobre la cascada y como a dos metros de altura un agujero sobre las rocas por el que puedan asomarse dos personas. En primero y en segundo términos del lateral derecha el arranque de dos galerías que se pierden en el lateral. Entre uno y otro algún macizo de zarzas donde pueda ocultarse una persona. En el lateral izquierda se inician tres de estas galerías, también practicables. Dichas galerías se-

---

[a] «Personajes del Acto Tercero [sic]
    Magdalena
    Doña Ramírez
    Azofaifa
    Doña Berenguela
    Marquesa
    Duquesa
    D. Mendo
    D. Pero
    D. Nuño
    Moncada
    D. Alfonso
    Ali-Fafez
    Froilán
    D. Lupo
    D. Lope, etc.».

rán de altura y anchura distintas y alguna de ellas estará
semioculta por los arbustos y malezas que crecen entre los
riscos. Es de día. Luz intensa en el campo.

> *Al levantarse el telón entran en escena por el fo-*
> *ro y guardando todo género de precauciones* AZO-
> *FAIFA y* ALI-FAFEZ, *un morazo muy mal encarado.*

ALÍ

¿Qué me quieres, Azofaifa,   1
que a tan lejano lugar
de mi tienda me conduces?

AZOFAIFA

Alí-Fafez, por Alá
te suplico que me ayudes.   5

ALÍ

¿Qué intentas, di?

AZOFAIFA

             Castigar
a una cristiana maldita
a quien tengo por rival.

ALÍ

Si es cristiana, con mi brazo
puedes al punto contar;   10
que tanto mi pecho odia
a la infame cristiandad,

---

⁴ En el manuscrito, el nombre va acentuado de diversas maneras: es
«Alí-Faféz» en la 1.ª edición, y «Alí-Fafez» en la de Afrodisio Aguado. Creo que tanto el ritmo del verso como el doble sentido del nombre, Alifafes = dolencias, piden esta última forma de acentuación.

que si sangre de cristianos
corriera por el pinar
como corre por las rocas
ese puro manantial,
tal vez por lavarme en sangre
me llegaría a lavar.

AZOFAIFA

Mucho les odias, Alí.

ALÍ

Y quisiera odiarles más,
que aunque fabrico babuchas
sé de memoria el Korán.
Dispón de mí.

AZOFAIFA

     Sólo quiero
que oculto en el olivar
que ese camino bordea,
mediante alguna señal
me avises cuando se acerque
mi amo y señor el juglar
a quien sirvo.

ALÍ

    ¿Sólo es eso?

AZOFAIFA

Eso, Alí-Fafez, no más.

ALÍ

¿Y la señal?

AZOFAIFA

Un silbido.

ALÍ

¿Un silbido? ¿No creerá
que le silbo, recordando
lo mal que suele trovar?

AZOFAIFA

No lo creerá. Ve tranquilo.   35

ALÍ

¿Y tú, entretanto, qué harás?

AZOFAIFA

Entre esas piedras, oculta,
afilaré mi puñal.
Márchome, pues, por aquí,
y vete, Alí, ¡por Alá!   40
(AZOFAIFA *hace mutis por la derecha primer término.*)

ALÍ

¡Cristianos!... ¡Raza maldita!...
¡Aunque yo os finja amistad
y os venda rojas babuchas
de orillo y de cordobán,
os desprecio y abomino!...   45
(*Viendo entrar por el foro a* DOÑA BERENGUELA, *seguida de la* DUQUESA *y la* MARQUESA.)
¡Oh, señora!... ¡Majestad!...
(*Se inclina hasta partirse el esternón y se va por el foro
haciendo zalemas.*)

---

[44] «orillo»: paño basto, «cordobán»: curtido de piel de cabra.

BERENGUELA

Esta es la bella cueva que indiquéle
al lindo trovador que enloquecióme.
A recedal y a yerba luisa [a] huele,
como su puro aliento cuando hablóme.   50
Quiero que aquí mi boca le revele
todo lo que su amor me reconcome,
y le he de conceder, ¡tanto me embarga!
no ya un cuarto de hora, una hora larga.

DUQUESA

Ved, señora, que acaso sea imprudente   55
lo que hacéis al venir a aquesta cueva.
Esa pasión satánica y vehemente
que, justo es confesallo, en vos no es nueva,
paréceme importuna.

MARQUESA

(Con marcado acento catalán.)
                        Ciertamente.
Mi criterio también te lo reprueba,   60
que con nobles, tal vez, mas con pigmeos
no se deben tener tales flirteos.
Si el Conde de Provenza y Barcelona,
tu buen padre, a quien tanto te pareces,
viera cómo Cupido te aprisiona,   65
de ti renegaría cual mereces.
Repara que te juegas la corona;
que estás buscando al gato los tres pieces
y que es, ¡oh reina!, torpe e insensato
el pretender buscar tres pies al gato.   70

---

[a] «yerba buena».
[49] «recedal»: reseda, planta con flores olorosas.

186

BERENGUELA

No me enojes, marquesa de Tarrasa;
ya sé que no hago bien; pero el cuitado
es tan gentil, que su mirar abrasa.
¿Dónde viste doncel más bien formado?
Mi virtud ante él muere y fracasa.   75
¡Pecado quiero ser si él es pecado!...
Que por un beso de su boca diera [a]
cien coronas, cien vidas que tuviera.

MARQUESA

Loca estás a la fe.

BERENGUELA

(Malhumorada.)
                    ¡Dejadme digo!
Por estas galerías discurramos   80
hasta oír la señal. Venid conmigo.

MARQUESA

A tu servicio, Majestad, estamos.

DUQUESA

Despacio caminad, que me fatigo.

BERENGUELA

(Por la primera galería de la izquierda.)
Entremos por aquí. Seguidme.

---

[a] *T.:* Versos 77-78: «que por un beso suyo, uno siquiera,
                    corona, honor y vida yo le diera».
77-8 «que por un beso de su boca diera / cien coronas, cien vidas que
tuviera»: Eco de la «Oriental» de Zorrilla, «Dueña de la negra toca, /
la del morado monjil, / por un beso de tu boca / diera Granada Boabdil».

187

Vamos.

(En cuanto ve un doncel como una rosa   85
lo escoge para sí; es una ansiosa.)
(Se van las tres por el sitio indicado. Por el foro entran
en escena DON ALFONSO *y* MONCADA.)

ALFONSO

Este es el sitio, Moncada.

MONCADA

Bravo lugar, a fe mía;
hay en él frescor, poesía,
poca luz... y asaz velada.   90
Siempre te plació buscar
para tus hechos corruptos,
lugares un poco abruptos,
y no me debe extrañar;
que para amar, lo mejor   95
es lo más concupiscente:
al remanso de una fuente
el amor es más amor.
Y entre estos peñascos romos,
en este lugar perdido,   100
que semeja un bello nido
de ninfas, hadas y gnomos;
en esta penumbra grata,
bajo esta bóveda oscura,
y oyendo cómo murmura   105
la limpia fuente de plata,
cualquier dicho gallofero
parecerá un verso adonio;
cualquier corcova, un Petronio,
y cualquier besugo, Homero.   110

---

[108] «adonio» = adónico.

188

ALFONSO

Hablas, Marqués, sabiamente,
cosa nada nueva en ti.
A la que yo aguardo aquí
ha de placerle este ambiente;
que es alma de dulce albura,   115
rosicler de Alejandría,
toda luz, gracia, poesía,
exquisitez y ternura.
Un bello ser delicado
que ignora lo que es maldad.   120

MONCADA

Es... Magdalena, ¿verdad?

ALFONSO

La misma.

MONCADA

(Estás apañado.)

ALFONSO

Y me remuerde este exceso.
Temo que piense el marido
que por ser él mi valido   125
yo me he valido de eso.
Y aún más confuso me hallo,
por traicionar a mi esposa
que es dama tan virtuosa.

MONCADA

(Este rey es un caballo.)   130

---

[113] «guardo» en la 1.ª ed., por errata.
[130] «este rey es un caballo»: juego de palabras con las figuras de la baraja española.

ALFONSO

Pero cuando amor azota
y clava su dardo cruel,
tienen que rendirse a él
lo mismo el Rey que la Sota.
Y el dardo en esta ocasión   135
llegó al alma tan derecho,
que no sé ya si en el pecho
tengo dardo o corazón,

MONCADA

Creo, señor, que viene gente.

ALFONSO

Aún es temprano, aguardemos,   140
entremos y paseemos.

MONCADA

Lo estimo asaz pertinente.

ALFONSO

Ve delante.

MONCADA

        ¡Nunca!

ALFONSO

        Sí.
Que si hay peligro o tropiezo
debes tú cargar con eso   145
antes que me toque a mí.

---

134 «lo mismo el Rey que la Sota»: Ver IV, 130.

MONCADA

Razón tienes en verdad
pues que tu vida es sagrada.

ALFONSO

Pues vamos presto, Moncada.

MONCADA

Vamos prestos, Majestad.   150
(Hacen mutis por la izquierda último término.)
(Por el foro entran en escena, primero DON NUÑO
y luego DON PERO. *Este último con la espada*
desenvainada.)

NUÑO

Pasad, don Pero, en buen hora,
y ese acero vengador
enfundad, que aún no ha llegado
al lugar de la traición
la que manchó vuestro nombre   155
y mi vida ensombreció.

PERO

(Enfundando la espada.)
¡Plegue al cielo que no tarde,
y plegue al santo patrón
San Ildefonso, que al vella
mis iras contenga yo;   160
que es mi cólera tan sorda
y es tan grande mi furor,
que plegue a Dios, no le plegue
un golpe en el corazón
que se lo rompa en pedazos.   165

---

[163] «no le plegue» = no le dé.

NUÑO

¡Don Pero, teneos, por Dios,
y habed calma!

PERO

(Despectivo.)
                    Un padre puede,
cuando se falta a su honor,
hablar de calma; un marido
vilmente ultrajado, no.   170
La sangre de veinte Toros
presta a mi pecho calor;
y la sangre de los veinte
pídeme con recia voz
que lave, también con sangre,   175
la mancha de mi blasón.

NUÑO

(Con rabia.)
Si veinte fueron los Toros
fueron pocos, vive Dios,
que para veinte, hay cien Mansos
cuya sangre llevo yo,   180
y los cien también me piden
que castigue ese baldón.
Comparad, Duque, quién puede
hablar más alto y mejor;
si los Toros o los Mansos: 185
si yo como padre o vos.

PERO

Me place escucharos.

---

188 «puertas» en la 1.ª ed., por errata.

NUÑO

¡Basta!
Venid. Este corredor
(Por la primera galería de la derecha.)
después de mil vueltas, lleva
a aquel hueco. En él los dos   190
podemos ver sin ser vistos
y cuando llegue el traidor
y con la traidora hable
de trovas y de pasión
saldremos y... ¡Dios les valga!   195
Vamos, noble Duque.

PERO

¡Allón!
(Se van por la primera galería de la derecha.)

RAMÍREZ

(Con MAGDALENA *por la segunda galería de la iz-
    quierda.)*
Gracias a Dios que se ve,
señora, que ese antro está
tan oscuro, que no sé
cómo con vos no quedé   200
perdida por siempre allá.

MAGDALENA

¿Oscuro dices? ¡Por Dios!

RAMÍREZ

Permitid que en ello insista.
¿No era oscuro para vos?

MAGDALENA

No tal.

_____
[196] «Allón» = Allons.

Entonces, las dos   205
no tenemos igual vista.
Porque aunque anduve con flema
tropecé, cosa en mi rara,
y ved, señora, qué exema.
(Le enseña un dedo.)

MAGDALENA

¡Jesús!...

RAMÍREZ

No estaría tan clara   210
cuando me he roto una yema.
Sin duda en vos el amor
es fuego que tanto alumbra,
que ha trocado a su sabor
en albores la penumbra,   215
y la sombra en resplandor.
Mas yo que nunca he sabido
lo que es la dicha de amar,
porque así plugo a Cupido,
y por tanto no he tenido   220
ocasiones de alumbrar,
cuando a sitio oscuro voy
mi pobre infortunio labro,
pues me ocurre lo que hoy
que voy, más segura estoy   225
de que al ir me descalabro.
(Silbido dentro.)

---

209 «exema» = edema, hinchazón.
210-11 «No estará tan clara / cuando me he roto una yema»: Juego
de palabras, 1) la cueva está oscura y la dueña se hiere la yema del dedo, 2) clara y yema del huevo.
219 «plugo Cupido» en la 1.ª ed. por errata.
220-1 «no he tenido / ocasiones de alumbrar»: Equiv.: No he dado
a luz por no haber tenido amantes.

MAGDALENA

¡Cielos!...

RAMÍREZ

¡Silbaron!...

MAGDALENA

¡Qué horror!

RAMÍREZ

Temblor entróme al oírlo.

MAGDALENA

Asomaos, por favor.
(Se asoma al foro DOÑA RAMÍREZ.)
¡Dios santo! ¿Será algún mirlo   230
o será un reventador?
¿Veis algo?

RAMÍREZ

¡Por más que ojeo!...

MAGDALENA

Heme quedado de estuco,
doña Ramírez.

RAMÍREZ

¡Ya veo!

---

[231] «reventador»: «Persona que va al teatro dispuesta a mostrar de-
sagrado de modo ruidoso» *(Dicc. Aut.).*
[233] «héme quedado de estuco» = me he quedado de piedra. Ver III,
342.

¿Y es un mirlo como creo?   235

RAMÍREZ

No señora, que es un cuco.
¡El trovador!

MAGDALENA

     ¡Ah¡ ¡Por fin!
Idos.

RAMÍREZ

   Claro está, señora.
¿Qué hago yo en este trajín?

MAGDALENA

Aguardad, sólo una hora.   240

RAMÍREZ

Aunque sean dos. A mí... plin.
(Al hacer mutis por el foro, se encuentra con DON
MENDO *y le saluda ceremoniosamente. Vase.)*

MENDO

Guárdeos Dios, pulida dama.

MAGDALENA

Y a vos, flor de la poesía,
que venís por dicha mía
adonde mi amor os llama.   245

---

236 Equiv.: el cuco es un pájaro y también un taimado.

MENDO

(Señores, valiente arpía.) [a]

MAGDALENA

Gracias os doy, trovador,
por atender mi cuidado
que es un cuidado de amor.

MENDO

¿Quién pudo haberos negado,   250
gran señora, tal honor?

MAGDALENA

Pues eres asaz cortés
ven aquí, pulcro trovero,
que voy, postrada a tus pies,
a explicarte cómo es   255
el amor con que te quiero.
(Sienta a DON MENDO *sobre una piedra y se arrodilla
    a sus pies.)*
¿Has visto cómo la flor
cuando despunta la aurora
abre sus pétalos tiernos
buscando luz en las sombras?   260
Pues así mi boca busca
el aliento de tu boca.

AZOFAIFA

*(Oculta entre los riscos y arbustos del primer término
    derecha.)*
(Yo haré que tu boca infame
bese el polvo de tu fosa.)

_____
[a] «tía».
256-78 La situación parece un eco de la famosa escena «del sofá» en
el *Tenorio* de Zorrilla (Primera parte, IV, iii).

MAGDALENA

¿Has visto cómo los ríos   265
buscan el mar con anhelo
para darle cuanto llevan
porque es el mar su deseo?
Pues así mis labios buscan
los suspiros de tu pecho.   270

AZOFAIFA

(¡Yo arrancaré de tus labios
los suspiros con mi acero!)
(Por el agujero del foro derecha, asoman DON NUÑO
y DON PERO.)

MAGDALENA

¿Has visto cómo la luna
busca en el bosque frondoso
un lago de linfa clara   275
donde mirarse a su antojo?
Pues así mis ojos buscan
el espejo de tus ojos.

PERO

Este puñal ¡vive Cristo!
será quien tu fuego venza.   280
Vamos, que más no resisto.

NUÑO

¿Has visto qué sinvergüenza?

PERO

¡Vive Cristo, que lo he visto!
(Desaparecen.)

198

MENDO

(Levantándose.)
O yo mucho desvarío
o alguien en la cueva habló.   285

MAGDALENA

Dices bien. Saber ansío...

MENDO

Aguardadme.

MAGDALENA

        No: bien mío.
Soy capitán: iré yo.
*(Hace mutis por la derecha primer término. AZOFAI-
FA se oculta.)*

MENDO

(Viendo marchar a MAGDALENA.)
¡Aborto de Satanás!...
Dentro de poco sabrás   290
quién es el Marqués de Cabra,
que ahora me he dado palabra
de matarte y morirás.
(Mirando hacia la izquierda primer término.)
¡Mas qué es esto! ¿es ilusión?...
(Viendo entrar a la Reina.)
¡La Reina! ¡Qué situación!...   295

BERENGUELA

(Cayendo a sus pies y tomándole una mano.)
¡Doncel, que eres ya mi vida,
mira a tus plantas rendida
a la Reina de León!

MENDO

(¡Malhaya sea la hora!...)
Alzad del suelo, señora.   300

BERENGUELA

Ante tan grande hermosura
esta ha de ser la postura
que yo adopte desde ahora.

MENDO

(Estaba por darla un lapo...
Todas por mí como un trapo,   305
y con igual pretensión...
¡Ay, infeliz del varón
que nace cual yo tan guapo!)
Alzad, porque el suelo os mancha.
(La levanta.)

PERO

(Entrando con DON NUÑO, *sigilosamente, por la de-
    recha segundo término.)*
¡Dejadme!

NUÑO

        ¡No!

PERO

        ¡Es mi revancha!   310

---

304 «lapo» = golpe.
307-8 «¡Ay, infeliz del varón / que nace cual yo tan guapo!». Eco del
verso «¡Ay, infeliz de la que nace hermosa!» de «El panteón del Escorial» de Quintana, conocidísimo por haberse citado mucho, entre otros
por Espronceda en *El diablo mundo* (III, 187) y varias veces por Larra.

NUÑO

¡A mi toca!

PERO

¡Toca a mí!

NUÑO

¡Quieto, que es la Reina!

PERO

¡Sí!
¡La Reina! ¡Cielos, qué plancha!

NUÑO

El hierro con furia empuño.

PERO

Volvamos al agujero.   315

NUÑO

¡Qué cosas se ven, don Pero!

PERO

¡Qué cosas se ven, don Nuño!
(Se van sigilosamente por la derecha segundo término.)

BERENGUELA

¡Trovador, ámame o muero!

AZOFAIFA

(¡Pues agora has de morir!)
(Se dispone a salir, pero al ver a la MARQUESA *que en-*

tra en escena por la izquierda primer término, se contiene.)

MARQUESA

(Muy asustada.)
¡Señora, acabo de oír   320
por aquesa galería
la voz del Rey que decía
algo de vos! Hay que huir
en seguida, Majestad.

BERENGUELA

¡El Rey! ¡Qué contrariedad!   325

MARQUESA

Venid, por Dios.

BERENGUELA

                   Allá voy.
(A DON MENDO.)
Ya sabéis en dónde estoy.

MENDO

Iré a buscaros.

MARQUESA

              ¡Pasad!
*(Se va por la izquierda primer término, DOÑA BEREN-
GUELA [a]. La MARQUESA mirando rendidamente a
DON MENDO, dice más catalanamente que nunca.)*
¡Qué precioss, Mare de Deu!
No vi duncel más hermoss   330
ni en Sitges, ni en Palamós,

---

[a] *Om.:* desde «La Marquesa» hasta el final del verso 331.

ni en San Feliú... ni en Manlleu.
(Vase.)

AZOFAIFA

(Ella vuelve: escucharé.)

MAGDALENA

(Entrando en escena nuevamente.)
Nada vi. Nada encontré.
Sin duda el viento zumbó   335
y eso fue lo que se oyó.

MENDO

El viento sin duda fue.

MAGDALENA

(Intentando abrazar a DON MENDO.)
¡Amor de mi vida!...

MENDO

(Sujetándola colérico.)
                    ¡¡Basta!!
¡Que ya el furor me domina!

MAGDALENA

¡Cielos!

MENDO

        ¡Mujer asesina,   340
baldón de tu infame casta

---

[332] «Malleu» en la 1.ª ed., por errata.

a quien mi pecho abomina!... [a]
¡Mírame bien!...

MAGDALENA

(Asustada.)

¡No comprendo!

MENDO

¡Pálpame aquí, es bien sencillo!...
(Le lleva una mano a su coronilla.)

MAGDALENA

(Horrorizada.)
¿Qué toco, Dios? ¿Qué estoy viendo?   345
¿Tú tienes un lobanillo
como el que tenía don Mendo?...

MENDO

(Remangándose y enseñándole el brazo izquierdo.)
¡Mira el recuerdo sagrado
vestigios de diez combates!...

MAGDALENA

¡La cicatriz! ¡Mi [b] bocado!...   350
(Como loca.)
¡Don Mendo! ¡Tú!... ¡No me mates!...
¡No me mates!...
(Cae desmayada en sus brazos.)

---

[a] Entre versos 342-3: «hembra artera y execrable,
                         mujer villana y perjura,
                         concubina despreciable,
                         barragana vil e impura!
                         ¡Miserable! ¡Miserable¡
                         ¡Mírame bien!...

[b] «El».

204

MENDO

¡Se ha privado!

AZOFAIFA

(Hice bien al suponer
que era esa infame mujer
la causa de su aflicción.   355
¡Oh! ¡Con qué gusto he de hacer
pedazos su corazón!)

MENDO

Largo el desmayo va siendo.

PERO

(En el agujero.)
¡Ahora es ella! De ira enciendo
y a vengar mi afrenta voy.   360

NUÑO

Y yo también.
(Desaparecen.)

MAGDALENA

(Abriendo los ojos.)
          ¿Dónde estoy?

MENDO

En los brazos de don Mendo.

---

361 «¿Dónde estoy?». Frase característica de las heroínas decimonó-
nicas al volver de un desmayo.

MAGDALENA

(Horrorizada.)
¡Cielos! ¡El emparedado
con vida!...

MENDO

¡Al cielo le plugo!...
¡Tiemble tu pecho menguado   365
que don Mendo se ha tornado
de emparedado en verdugo!
¡Y vas a morir, arpía!
¡Vas a morir sin tardanza!...

MONCADA

(Precipitadamente, por la última galería de la izquier-
da.)
Huid, Marqués, por vida mía   370
que el Rey llega. Tu venganza
aplaza para otro día.

MAGDALENA

(¡Me he salvado!)
(Se parapeta tras de MONCADA.)

MENDO

(Puñal en mano amenazando a MAGDALENA.)
¡Muere!

MONCADA

¡Atrás!

MENDO

¡Marqués!

MONCADA

¡La defiendo yo!

MENDO

¡Te juro que morirás!   375

MONCADA

Más tarde la matarás,
pero con mi daga, no.
*(Le arrebata el puñal y le señala imperiosamente la
    primera galería de la izquierda.* DON MENDO *hace
    mutis por ella mordiéndose las manos.)*

MAGDALENA

¡Gracias, Moncada!

MONCADA

(Con la mayor naturalidad.)
                        De nada.

MAGDALENA

Vuestro favor.

MONCADA

          No es favor.

AZOFAIFA

(¡Un Marqués el trovador!   380
Azofaifa desgraciada...
¿En quién pusiste tu amor?)
(Entra DON ALFONSO *por la izquierda, último térmi-
    no.* MONCADA *se inclina ante él reverenciosamente
    y hace mutis por el foro.)*

ALFONSO

¡Oh, mi gentil Magdalena!

MAGDALENA

¡Oh, rey, a quien tanto amo!
(Se abrazan.)

ALFONSO

Siervo llámame y no rey,   385
que de ti soy tan esclavo
que morir quisiera agora
en la cárcel de tus brazos.
*(Por último término de la derecha entran en escena,
espada en mano, DON NUÑO y DON PERO.)*

PERO

¡Pues morirás, miserable,
en sus brazos y a mis manos!   390
*(MAGDALENA da un grito y se separa del Rey. Este
vuelve y mira altivo a DON NUÑO y DON PERO,
que sofocan al verle una exclamación.)*

ALFONSO

¡Hiéreme, Duque de Toro,
si tu valor llega a tanto!
(A DON PERO se le cae la espada de la mano.)

PERO

¡Por el ánima bendita
de mi abuelo el conde Alarco!...
¡Por los huesos de mis padres,   395
que fueron huesos de santos!...

---

396 «huesos de santos»: Los huesos de santo son dulces propios de
las fiestas de Todos los Santos y los Difuntos.

¡Por los dioses de los cielos
y el satanás de los Antros!...
¡Por las parcas guadañudas
y los monstruos y los trasgos,   400
que no sé cómo mis ojos
para siempre no cegaron
antes que ver lo que han visto
para su vergüenza y daño!...
¡Vos dando coba a mi esposa!   405
¡Vos mi escudo baldonado!
¡Vos, don Alfonso, mi Rey,
haciendo a mi honor agravio!...
¡Vos, a quien di en cuatro meses
cien pueblos, cuatro condados   410
y la sangre de mis venas
que derramé al tomar Baños!...
¡Ah, no! No es de Rey tal hecho,
ni aun es siquiera de hidalgo;
el que como vos procede,   415
Majestad, es un villano.

ALFONSO

¡Detén, don Pero, la lengua
y detenga yo mi brazo,
porque de no detenello,
vive Dios, que te la arranco!   420

PERO

Nada puedo contra vos [a],
que estáis, Alfonso, muy alto;
pero no quiero tampoco
vivir por vos deshonrado,
y antes que servir de burla,   425
de befa, mofa y escarnio,
ya que no pueda vengarme

---

[a] *T.:* «Contra vos yo...».

de tal perfidia, me mato.
(Saca una daga.)
¡Mirad cómo muere un Toro
por vos mismo apuntillado!   430
(Se clava la daga y cae en brazos de DON NUÑO. *Todos lanzan un grito de horror.)*

NUÑO

¡¡Cielos!!

MAGDALENA

¡¡Qué horror!!

PERO

(Agonizando.)
                    ¡¡Magdalena!!
¡¡Yo te maldigo!!

ALFONSO

¡¡Qué espanto!!

MAGDALENA

¡¡Don Pero!!...

NUÑO

¡¡Atrás, miserable!!...
*(*DON PERO *hipa, ronca, se retuerce, se estremece y la diña.)*
¡¡Muerto!!

MAGDALENA

¡¡Muerto!!

430-1 Ver III, 517-39.

ALFONSO

¡Desgraciado!

NUÑO

Feneció como un valiente.   435

ALFONSO

¿Mas con un solo pinchazo?...

NUÑO

El pinchazo, Majestad,
estaba en todo lo alto,

ALFONSO

¿Pero quién pudo decirle?...
¿Quién pudo, di, traicionarnos?   440
¿Lo sabes tú?

MAGDALENA

¡Sí lo sé!

ALFONSO

¿Quién fue? Responde...

MAGDALENA

Renato;
ese trovador maldito
que de mí está enamorado,
y como yo despreciéle   445
llevó tal venganza a cabo.
¡Por el amor que me tienes,
oh, Rey don Alfonso, mátalo!

436-7 Ver III, 517-39.

NUÑO

¡Calla, hija maldita!

MAGDALENA

¡Padre!

NUÑO

¡Maldita, sí!

ALFONSO

¡Reportaos!   450

NUÑO

Como padre, Rey Alfonso,
puedo por mi honor velando,
castigar a la perjura
que mi nombre ha deshonrado.
Esa pérfida, sabello,   455
hora es ya de confesallo,
burló a su esposo con vos,
os burló a vos con Mendaro,
a Mendaro con el Conde
de Velilla de Montarco.   460
Ella citó al trovador
aquí mesmo, y en sus brazos
cayó rendida ha un instante.
Ved, señor, si bien no hago
castigando sus traiciones   465
y su infamia castigando.

MAGDALENA

¡Miente, Alfonso!

AZOFAIFA

¡Que es tu padre!

MAGDALENA

¡Miente mi padre cuitado!
¡Por nuestro amor te lo juro!

NUÑO

(Espada en mano queriendo matarla.)
¡Ah, miserable! ¡Quitaos!   470

ALFONSO

(Cubriendo con su cuerpo el de MAGDALENA.*)*
¡¡Quieto!!
(Saca su espada.)

NUÑO

(Furioso.)
                ¡Rey, que no respondo!

AZOFAIFA

¡Basta!

NUÑO

        ¡No!

ALFONSO

        ¡Don Nuño!

NUÑO

                ¡Paso!

ALFONSO

¡Es la mi dama!

NUÑO

¡Pues muere!

ALFONSO

¡Muere tú, desventurado!
(Luchan.)

MAGDALENA

(Gritando hacia el fondo.)
¡Socorro! ¡Doña Ramírez!...   475
(DON ALFONSO *hiere a* DON NUÑO.)

NUÑO

¡¡Ah!!
(Se lleva una mano al pecho y deja caer la espada.)
        ¡¡Muero!!
(Cae moribundo.)

MAGDALENA

(Acudiendo a él como loca.)
                ¡¡Padre!!

ALFONSO

(Horrorizado.) [a]
                        ¡Dejadlo!

NUÑO

(Agonizando.)
¡Maldita!... ¡¡Maldita seas!!...
(Muere.)

---

[a] *Om.:* «(Horrorizado)».

MAGDALENA

¡¡Me maldijo!!... ¡¡Cielo Santo!!...
(Queda arrodillada junto al cadáver de DON NUÑO.)
(Por el foro entran precipitadamente DOÑA RAMÍREZ,
MONCADA *y* ALI-FAFEZ.)

MONCADA

¿Qué sucede?

RAMÍREZ

¡Magdalena!...
¡Cielos! ¿Privado el Privado?   480

MONCADA

¡Majestad!

ALFONSO

¡Moncada amigo!...

RAMÍREZ

(Cayendo de rodillas al lado de Magdalena.)
¡Conde!... ¡Don Nuño!... ¡¡Mi amo!!...

ALÍ

¡Muertos los dos!

MONCADA

¡Ambos muertos!

ALFONSO

¡Dios lo quiso!

MONCADA

¡Sea loado!

AZOFAIFA

(Surgiendo de repente puñal en mano.)
¡Rey de Castilla y León,   485
Rey asesino y tirano
que con espada y sin ella
das muerte a Toros y a Mansos!...
¡Por Alá, que es el Dios mío,
por el Dios de los cristianos,   490
por doña Urraca, tu madre,
que fue de virtud dechado,
y por Raimundo Borgoña,
tu padre, juro y declaro,
que es verdad cuanto te dijo   495
ese viejo infortunado,
espejo de nobles frentes
y de pechos fijosdalgos!
Esa mujer, mal nacida,
es la pérfida que antaño   500
para casar con don Pero
engañó a don Mendo.

MAGDALENA

(Levantándose.)
                    ¡Falso!

AZOFAIFA

Don Mendo es el trovador
a quien ella ha denunciado
vilmente, porque le teme.   505

---

[488] «privado el Privado?»: Equiv.: ¿está desmayado el Privado?

216

MAGDALENA

¡Calla, víbora!

AZOFAIFA

¡No callo!

MAGDALENA

¿Sales de la zarza, mora,
para cebarte en mi daño?

AZOFAIFA

Salgo para hacer justicia,
y he de hacella por mi mano.   510

ALFONSO

Prueba, mora, lo que dices,
y si no logras probarlo,
el verdugo tu cabeza
cortará de un solo tajo.

AZOFAIFA

¡Yo lo probaré!

ALFONSO

¡Aquí mesmo!   515

AZOFAIFA

Aquí mesmo, rey menguado,
que al calor de mi conjuro
hará la Parca un milagro.
*(Revolviéndose y trazando en el aire con su puñal lí-
neas y signos.)*

---

507 «zarza, mora»: Equiv.: zarzamora.

217

¡¡Alcalajá, salujó!!...
¡¡Belimajé, talají!! 520
¿Es ella culpable?

NUÑO y PERO

(Incorporándose como movidos por un resorte y diciendo lúgubremente, sin abrir los ojos.)
¡¡Sí!!

AZOFAIFA

¿Debo perdonalla?

NUÑO y PERO

(Como antes.)
¡¡No!!
(Vuelven a tumbarse. Todos retroceden horrorizados.)

AZOFAIFA

(Clavando su puñal en el pecho de MAGDALENA.*)*
¡Baldón de mujeres, muere!

MAGDALENA

¡Ay, mi madre; muerta soy!
(Cae en brazos de DON ALFONSO, *que cuidadosamente la deposita en el suelo.* DOÑA RAMÍREZ *sofoca también un grito y cae en brazos de* ALÍ-FAFEZ, *que también la deja en el suelo como sin vida.)*

MONCADA

(A AZOFAIFA.*)*
¡A segar tu cuello voy! 525

¡Hiere, castellano, hiere!

ALFONSO

¡¡Mi Magdalena!!... ¡¡Qué horror!!
¡Muerta!... ¡Magdalena mía!...

MONCADA

(A DON ALFONSO.)
Oigo en esa galería
de unas voces el rumor.   530
¡Ocultaos!

ALFONSO

                    ¡Ay de mí!
¡Qué horrible trance, Marqués!

MONCADA

Cierta mi sospecha es;
el ruido viene hacia aquí...
¡Pronto!

ALFONSO

            ¡Vamos!

MONCADA

¿Quién será?   535
(Medio se ocultan en el momento en que entran en es-
cena, por la primera galería de la izquierda, DOÑA
BERENGUELA *con* DON MENDO, *seguidos de la*
MARQUESA *y la* DUQUESA, DOÑA BERENGUELA *y*
DON MENDO *vienen del brazo, y derretidísimos.)*

Berenguelilla, tutéame,
y si te place, osculéame
en las dos mejillas.

ALFONSO

(Surgiendo lívido.)
                    ¡¡Ah!!
¡¡Miserable!!

MENDO

              ¡¡Cielos!!

BERENGUELA

                    ¡¡Oh!!
(Cae desmayada y acuden a sostenerla la MARQUESA *y
la* DUQUESA.*)*

MENDO

(¡El rey don Alfonso, sí!)   540

ALFONSO

¡Mátalo, Moncada!...

AZOFAIFA

(Resguardándolo con su cuerpo.)
                    ¡No!
¡Primero, Marqués, a mí!

MENDO

¡Azofaifa!...

AZOFAIFA

¡Mendo amado!
¡Mira!

MENDO

¡Sangre! ¡Dios clemente!...

AZOFAIFA

A la que nubló tu frente   545
con esta daga he matado.

MENDO

(Como loco.)
¡Magdalena!... ¡Nuño!... ¡Pero!...
¿Qué has hecho, maldita mora?
¿En quién me vengo yo ahora?

AZOFAIFA

¡Clava en mis carnes tu acero!...   550
¡Sacia tu venganza en mí
si no has de quererme ya!
¡Hiere, Mendo, por Alá! [a]

MENDO

¡Qué por Alá: por aquí!
(Le clava el puñal. Cae AZOFAIFA *muerta.)*

MONCADA

¡Otra muerte! ¡Cielo santo!   555

MENDO

(Riendo locamente.)
¡Ja, ja, ja, ja, ja, ja, ja!...

------

[a] *T.:* «Te lo pido por Alá».

222

MONCADA

¡La razón perdido ha!

ALFONSO

¡Qué espanto, Marqués, qué espanto!

FROILÁN

(Dentro.)
Majestad.

ALFONSO

Aquí Velloso.

FROILÁN

(Entrando por el foro, con DON LOPE, DON LUPO,
MANFREDO, DON GIL, *etc., etc.)*
¿Qué es aquesto?

MONCADA

¡Un panteón!   560

ALFONSO

(Por DON MENDO.)
¡Sujetadle!

MENDO

¡Fuera ocioso!
¡Ved cómo muere un león
cansado de hacer el oso! [a]
(Se clava el puñal y cae en brazos de MONCADA *y de*
FROILÁN.)*

---

[a] En el ms., el drama acaba con el verso 563. La acotación escénica
dice: «(Se clava el puñal y cae muerto. Todos dan un grito. Telón)».

MANFREDO

¡Qué puñalada!

MONCADA

¡Tremenda!
¡Infeliz, se está muriendo!   565

MENDO

(Agonizando.)
Sabed que menda... es don Mendo,
y don Mendo... mató a menda.   567
(Muere.)
(Telón.)

FIN DE LA CARICATURA

Apéndice

Acerca de «El Pendón de don Fruela»

Quiero incluir en este estudio un curioso texto, las páginas iniciales de «El pendón de don Fruela», parodia también de un drama histórico, y que guarda estrecha relación con *La venganza de don Mendo*.

Entre los papeles de la familia, se conservan once hojas de un cuaderno rayado, escritas a pluma por Muñoz Seca. Forman parte de un «Acto Primero» que muestra el interior de una cabaña con una familia de aldeanos. Por lo que dicen, en algún cuarto duerme un caballero que les pidió cobijo. En esto, y en medio de una terrible tempestad, llama a la puerta una mujer vestida de hombre que resulta ser Doña Mencía, la hija del señor feudal al que el usurpador don Fruela mandó matar por defender a la reina. Doña Mencía dice que marcha a la Corte para vengar a su padre y comienza a contar su historia. Aquí se interrumpe el manuscrito.

El texto tiene 156 versos. Los primeros 47 son romance en *-í-a,* del 48 al 144 son romance en *-e-o,* y del 148 al 156, romance con los pares terminados en *-al.* Este último no parece seguir el hilo narrativo de los versos anteriores. Evidentemente se trata de una primera versión, llena de enmiendas, tachaduras y palabras ilegibles.

Muñoz Seca había ido apuntando datos en un cuadernillo aparte para redactar «El pendón». Hay notas como «Laura, de paje, llega a la casucha en una noche mala, cuenta lo que...», versos, «Era una esclava tan corta / que quedóse en esclavina», «por la visera del yelmo / fuego venía lanzando» o datos históricos: «Don Fruela, caballero sanguinario, cruel. Arrasaba los pueblos que acogen a Doña Elvira y a sus hijos Alfonso, Sancho», también «Ordoño II, rey de León (hijo de Alfonso III el Magno), casó con Doña Elvira y tuvo como hijos Alfonso (IV), Sancho, Ramiro, Laura, Jimena. Don Fruela, gobernador de Asturias, se conoció con el nombre de Fruela II. Reinó once meses. Mandó matar a don Ernudo, hermando de don Frominio, e hijos ambos de don Olmundo (leoneses)». Menéndez Pidal, en su *Historia de España,* dice que Fruela desterró al obispo de León, que mató a los hijos de Olmundo, y que reinó un año y dos meses, antes de abril del 924.

Estas notas podrían indicar el sistema de trabajo de Muñoz Seca, al menos para *La venganza de don Mendo,* obra que también tiene una base histórica mínima. Su autor usaba esta base para construir la ficción dramática, acomodaba los personajes a la idea que se había formado de ellos e incorporaba a sus parlamentos algunos chistes preparados de antemano. «El pendón de don Fruela», probablemente con el significado de «Don Fruela, el sinvergüenza», está escrito a vuela pluma y la mayoría de los juegos de palabras parecen espontáneos. Lo mismo que en *La venganza* abundan los ripios, los falsos arcaismos y neologismos, los equívocos y demás elementos anti-dramáticos propios de la parodia.

No me parece que estas páginas fueran un precedente del *Don Mendo,* como asegura Montero Alonso[1], pues no es posible saber cuándo fueron escritas. Añadiré que la escena inicial de esta parodia recuerda bastante a la de *El puñal del godo* de Zorrilla, con la tempestad y la llegada de un personaje disfrazado que luego cuenta una historia. Para concluir, el romance *í-a* de los primeros 47 versos es reminiscente de otros versos de Marquina y de una balada en *Troteras y danzaderas,* de los que ya me ocupé anteriormente[2].

---

[1] Ver nota 6 de la Introducción.
[2] Ver notas 16 y 17 de la Introducción.

«El Pendón de Don Fruela»

Acto Primero

Planta baja de una casucha en pleno monte. Puerta de entrada en el foro. Gran hogar de viva lumbre a la izquierda. A la derecha, primer término, una puerta y en último término el arranque de una escalera que se pierde en el lateral. Es de noche. La acción en el siglo X. Están en escena al levantarse el telón, Marullana, mujer de cincuenta años. Prisca, muchacha de veinte y Rodolaldo y Lorentino, de sesenta y setenta años respectivamente, todos ellos lugareños. Nieva. Zumba el viento.

RODOBALDO	¡Mala noche, vive el cielo!	1
RECAREDO	Mala está, por vida mía,	
	jamás cayó tanta nieve	
	ni el viento desgajó tantos	
	recios troncos en la umbría.	5
	ni el granizo hirió tan fuerte	
	cual hace un momento hería	
	que al chocar en la campana	
	del convento parecía	
	que una mano misteriosa	10
	a la campana tanguía.	
GAUDENCIO	Mala noche, Marullana.	
	Miedo tengo y juraría	
	que borrada está la senda	
	y no hay más luz ni más guía	15
	para el viajero, que el rayo	
	que al alumbrar estampía.	
GORDIANA	Noche de lobos, Gaudencio,	
	de lobos y brujería	
	que hoy puede más el demonio	20
	que toda la clerecía.	
JELENDA	Calledes, madre, calledes,	
	que me aterra y calofría	
	aún más que el gemir del viento	
	vuesa triste agorería.	25
RECAREDO	Suerte tuvo el caballero	
	que nos pidió hospedería	
	antes de cerrar la noche	

	cuando menos nieve había.	
	¿Has visto, mujer, si duerme?	30
GORDIANA	Ha un momento no dormía,	
	junto a la estrecha ventana	
	estremuloso yacía.	
	Tristeza había en sus ojos,	
	y pesar en su alma había	35
	que su pecho sospiraba	
	y al sospirar tremecía.	
CORNELIA	Opino, que por su aspecto	
	no es hombre de follonía	
	que aunque cabalga sin paje	40
	dice su cortesanía	
	que es altivo caballero	
	de la más pura hidalguía.	

(Suenan unos golpes en la
puerta del foro)

| JELENDA *(Asustada)* | ¡Cielos! ¿Llaman? | |
| RECAREDO | Han llamado juraría. | |

(Vuelven a llamar)

Otra vez. ¡Por vida mía! 45
(Nuevos golpes)
Si viviera el conde Olmundo
d'ese modo llamaría
(Junto a la puerta del foro)
¿Quién va?

MENINA *(Dentro)*	Quien tu amparo busca
	que la noche es un infierno.
RECAREDO	¿Es una mujer?
MENINA	Un hombre.
RECAREDO	Un hombre, viven los cielos,
	juraría que es la voz
	de la hidalga de Alcedo

(Abriendo la puerta)

Entrad.

MENINA	*(Vestida de hombre, entrando)*
	¡Por vida y qué noche!
RECAREDO *(Asombrado)*	¡Doña Mencía!
MENINA	¡Silencio!
	Cierra presto, Leodegario,
	y que ese nombre que llevo
	no suene más en tus labios

230

ni brille en tu pensamiento.
Yo soy a partir de agora   60
lo que a voces va diciendo
el traje que agora visto.
Soy Lauro, pobre pechero,
que va a la Corte buscando
de paje del Rey un puesto.   65

RECAREDO

¡Tú, humillada! ¡Tú sirviendo!
¡Tú, cambiando de repente
de condición y de sexo...!
No imagino, gran señora,   70
cuál puede ser tu proyecto.

MENINA

¿No lo imaginas, Recaredo?
Vengar a mi padre muerto
por la cólera maldita
de don Fruela y de su séquito   75
y ya que por mi desdicha
ni madre ni hermanos tengo,
me he de vengar por mi mano
y cumplir el juramento
que solemne hice aquel día   80
ante su cadáver mesmo.
Padre mío don Olmundo,
ojos tristes que me vieron
manos que me acariciaron
pecho que oprimió mi pecho   85
boca que besó mi frente
corazón que me dio aliento
Yo soy tu carne y tu sangre.
yo soy tu savia y tu aliento
tus huesos están en mí   90
como tu vida, viviendo
y soy como un hueso tuyo.
Sí, padre, sí; soy un hueso.

RECAREDO

Cálmate un punto, señora,
refrena tu juramento   95
que es corcel que despeñado
rueda a las simas y presto
dinos, si decirlo puedes,
por qué don Fruela, el protervo,
dio muerte alevosa al Conde,
tu buen padre y mi buen dueño.

MENINA   Al morir el rey Ordoño
(que Dios le tenga en el cielo)
y que con su hermano Fruela
fue siempre amoroso y tierno   105
creyeron los nobles todos
que la corona y el cetro
heredase don Alfonso
su hijo amado, el primogénito.
Vino a León doña Elvira,   110
la reina, sin otro séquito
que mi padre don Olmundo
—
—   Don Suero
y el rey   115
—
—   que muy niño
—   dejó   de verle
—   *
Llegó de Asturias don Fruela   120
donde ejercía el gobierno
y cobarde, avieso, vil,
la corona pretendiendo
dio en prisiones con la reina,
puso en fuga a sus adeptos   125
y porque mi padre Olmundo
aquella noche en secreto
dio libertad a la dama
y puso su noble acero
al servicio de la causa   130
que es legal y de respeto
le hizo matar alevoso
al pie del palacio mesmo.
Coronan al día siguiente
rey al traidor y al momento   135
vio su pendón ominoso
en el castillo de Arnedo
—   *
desde entonces dos pendones
tienen dividido el reino   140
el pendón de don Fruela,

---

* Los versos 113-119 y el 138 son prácticamente ilegibles.

pendón que fulmine el cielo,
y el pendón de doña Elvira,
que es el pendón verdadero.
Así murió don Olmundo   *   145
el más noble y más leal.
Siete lanzadas tenía
desde el hombro al carcañal
y otras tantas su caballo
desde la cincha al pretal.   150
Traidora fue la celada
que le urdieron por su mal
en aquella noche negra
una mano criminal
don Fruela con don Gaiferos   155
y Nuño de Portugal.

---

* Los versos 145-156 están escritos con tinta diferente.

Colección Letras Hispánicas

DE PRÓXIMA APARICIÓN